文春文庫

長い旅の途上

星野道夫

文藝春秋

長い旅の途上　目次

I

Ⅱ

Ⅲ

Ⅳ

V

「アラスカ　風のような物語」から

きっと、人はいつも、それぞれの光を捜し求める長い旅の途上なのだ

I

はじめての冬

まだ一歳にもならぬ息子が、黄葉が散り始めたベランダに座り、九月の秋の風に吹かれている。コガラがスーッと木々の間を飛び抜け、アカリスがトウヒの枝の上で鋭い警戒音を発し、風がシラカバの葉をサラサラと揺らすたび、彼はサッと世界に目を向ける。そんな一瞬の子どもの瞳に、親の存在などと関係なく、一人の人間として生きてゆく力をすでに感じるのはなぜだろう。そんな時、ふと、カリール・ギブランの詩を思い出す。

あなたの子供は、あなたの子供ではない。彼等は、人生そのものの息子であり、娘である。彼等はあなたを通じてくるが、あなたからくるのではない。彼等はあなたとともにいるが、あなたに屈しない。あなたは彼等に愛情を与えてもいいが、あなたの考えを与えてはいけない。何故なら、彼等の心は、あなたが訪ねてみることもできない、夢の中で訪ねてみることもできないあしたの家にすんでいるからだ……。

そして今は十二月。気温もずいぶんと下がり始め、マイナス三〇度の大気の中で子どもの頬が赤く染まっている。太陽も地平線の彼方へ遠く去り、長い夜が一日を支配して、晴れた夜空にはオーロラが舞っている。ぼくにとっては十八年目の、そして息子にとっては、はじめてのアラスカの冬がめぐってきた。

あわただしく過ぎ去ったこの一年を振り返ると、やはり子どもの存在は大きかった。アラスカの自然に憧れ、この土地に移り住み、根なし草のように旅をしてきた自分が、家庭をもち、父親になった。それは家を建て、アラスカに根をおろしていった時と同じように、まわりの風景を少しずつ変えている。うまく言葉に言い表せないが、たとえば木々や草花そして風やオーロラのなかにさえ、自分の子どもの生命を感じているということだろうか。同じ場所に立っていても、さまざまな人間が、それぞれの人生を通して別の風景を見ているのかもしれない。

やっと歩き始めた息子は、まるでこの時期に課せられた仕事であるかのように、転び、落ち、毎日のように頭や身体をぶつけている。何度かヒヤッとさせられたこともあったが、まあ何とか生きのびている。子どものもつ生命力に驚きながら、生と死が隣り合う、あっけないほどの脆《もろ》さも感じている。その脆さを意識すればするほど、愛《いと》おしくなってきてしまうのだ。

が、ベッドから転げ落ち、大きなたんこぶをつくって泣き叫ぶ子どもを前にして、ふと考えたことがある。かわいそうだと思い、できたら自分がかわってあげたいと思いながら、どうやってもこの子の痛みを自分は感じることができないのだ。ぶつかったのは自分ではないのだから、あたりまえのことでもある。しかし、親は我が子の痛みを自分の痛みとして感じるという話があるではないか。いや、身体の痛みと心の痛みは違うということなのか。

それなのに、ぼくは泣き叫ぶ息子を見つめながら、〝この子は一人で生きてゆくんだな〟とぼんやり考えている。たとえ親であっても、子どもの心の痛みさえ本当に分かち合うことはできないのではないか。ただひとつできることは、いつまでも見守ってあげるということだけだ。その限界を知ったとき、なぜかたまらなく子どもが愛おしくなってくる。

この夏のある日、ムースの親仔が我が家の庭を横切っていった。体重六〇〇～七〇〇キロにおよぶムースは、鹿のイメージとは程遠く、その巨大な生きものが家の近くに現れると、いつもながらにギョッとする。アラスカでは毎年誰かがムースに殺《や》られていて、まして仔連れのムースはクマより危険なのかもしれない。後ろ足で立ち上がりながら、前足で相手を蹴《け》るのである。ぼく自身も、これまで原野を歩くなかで、何度母ムースに威嚇《いかく》を受けただろう。それはどの生きものももつ、子どもを守ろうとする本能的な行動なのだ。頭ではわかっていたそのことが、今はもう少し、親のムースの立場になって理解することができる。自分がいた場所を少し移動してみると、今まで見えなかったことが見えてくるものだ。

大人になって、私たちは子ども時代をとても懐かしく思い出す。それはあの頃夢中になったさまざまな遊び、今は、もう消えてしまった原っぱ、幼なじみ……なのだろうか。きっとそれもあるかもしれない。が、おそらく一番懐かしいものは、あの頃無意識にもっていた時間の感覚ではないだろうか。過去も未来もないただその一瞬一瞬を生きていた、もう取り戻すことのできない時間への郷愁である。過去とか未来とかは、私たちが勝手に作り上げた幻想で、本当はそんな時間など存在しないのかもしれない。そして人間という生きものは、その幻想から悲しいくらい離れることができない。それはきっと、ある種の素晴らしさと、それと同じくらいのつまらなさをも内包しているのだろう。まだ幼い子どもを見ている時、そしてあらゆる生きものたちを見ている時、どうしようもなく魅《ひ》きつけられるのは、今この瞬間を生きているというその不思議さだ。

きっと、私たちにとって、どちらの時間も必要なのだ。さまざまな過去を悔い、さまざまな明日を思い悩みながら、あわただしい日常に追われてゆく時間もまた、否定することなく大切にしたい。けれども、大人になるにつれ、私たちはもうひとつの時間をあまりに遠い記憶の彼方へ追いやっている。

先日、アラスカの川をゴムボートで下っている時のことだった。川の流れに身を任せながら、ふと前方を見ると、川岸のポプラの木に一羽のハクトウワシが止まっている。急流はゴムボートをどんどん木の下へと近づけ、ハクトウワシもじっとぼくを見下ろしていた。飛び立ってしまうのか、それとも通り過ぎさせてくれるのか、ぼくはただぼんやりとハクトウワシを見つめていた。それはぴんと張りつめた息詰まるような時間でもあった。ぼくを見つめているハクトウワシには、過去も未来も存在せず、まさにこの一瞬、一瞬を生きている。そしてぼくもまた、遠い昔の子どもの日々のように、今この瞬間だけを見つめている。一羽のワシと自分が分かち合う奇跡のような時間。過ぎ去ってゆく今がもつ永遠性。その何でもないことの深遠さに魅せられていた。川の流れはぼくをポプラのすぐ下をすり抜けさせ、ハクトウワシは飛び立たなかった。

日々の暮らしのなかで、〝今、この瞬間〟とは何なのだろう。ふと考えると、自分にとって、それは〝自然〟という言葉に行き着いてゆく。目に見える世界だけではない。〝内なる自然〟との出会いである。何も生みだすことのない、ただ流れてゆく時を、取り戻すということである。

あと、十日もすれば、冬至。この土地で暮らす人々にとって、その日は、気持ちの分岐点。極北のきびしい冬はこれから始まるのだが、太陽の描く弧は、少しずつ広がってくる。そして人々は、心のどこかで、春の在《あ》り処《か》をしっかりとらえている。

今日も、太陽は、わずかに地平線から顔をのぞかせただけだ。沈んでいった夕陽が、少しの間、凍《い》てついた冬の空を赤く染めている。やがて闇が押し寄せてきて、長い夜が始まってゆく。陽の沈まぬ夏の白夜より、暗黒の冬に魅かれるのは、太陽を慈しむという、遠い記憶を呼び覚ましてくれるからなのかもしれない。忘れていた、私たちの脆さを、そっと教えてくれるのだ。

約束の川

いつか、いつか一緒に旅をしようと、ずっと語り続けてきた約束の川があった。ある時、ふと、残された時間の短さに気づかされた。私たちは昨年、その夢をかなえ、極北の川シーンジェックを下っていった。

シリア・ハンター（七七歳）、そしてジニー・ウッド（七八歳）は、アラスカのパイオニアの時代を生きた女性だった。ぼくは二人が住む森の中の丸太小屋をたずね、この土地の古い物語に耳を傾ける時間が好きだった。シリアとジニーも、ずっと遅れてこの土地にやってきたぼくに、何かを託すように語り続けてくれた。年齢の差を超え、私たちが大切な友人同士だったのは、アラスカという土地を、同じ想いで見つめていたからだろう。

「いつか、アラスカ北極圏の川を一緒に下ることができたらいいね。千年も、二千年も前と何も変わらない極北の原野を、川の流れに身を任せながらゆっくりと旅をする……」

「太古の昔からずっと繰り返されてきたカリブーの季節移動や、オオカミに出会えるかならなかった。

しら……」

「素晴らしい川を見つけよう……そうしたら、行こうよ。いつか必ず出かけよう……」

会うたびに、そんな夢を語り始めてから、いったい何年が経っただろう。そしてシリアとジニーも、ゆっくりと年老いていった。私たちの約束の川は、具体化されなければならなかった。

「シーンジェック……はどうだろう。アラスカ北極圏を東西に横切るブルックス山脈から、南へと向かって流れ、ユーコンへ注ぎ込む川さ。昔からずっと憧れていた川なんだ」

ある日、消えかけた夢を呼び戻すように、ぼくは話してみた。もうすぐ八〇に手が届こうとするシリアとジニーの顔が、遠い日の娘のように輝いた。

「大賛成！……シーンジェックにはいつか行ってみたいと思っていた。これまで沢山のアラスカの川を旅したけれど、なぜかあの川だけは下ったことがないの」

壮大なブルックス山脈の谷を、ゆるやかに流れるシーンジェックは、私たちにふさわしい川かもしれない。アラスカ北極圏へカリブーの撮影に向かう途中で、これまで何度もこの美しい谷の上を飛んでいて、キラキラと光る水の流れは、いつもぼくを魅《ひ》きつけた。人の気配など何もない世界だが、そこは極北のインディアンが遠い昔からカリブーの狩猟に生きた土地である。一見未踏の原野に、実はたくさんの物語が満ち、シーンジェックは神秘的な谷だった。

ぼんやりとした、心の中の川は、はっきりと地図上に像を結んだ。大切な川が、熟した実が落ちるように決まったのだ。シーンジェックは、シリアとジニーにとって最後の川になるはずだった。アラスカのひとつの時代を、最もキラキラと輝いて駆け抜けた二人の女性の、最後の小さな冒険になるはずだった。

一九四六年が暮れようとする頃、二人の女性が、フェアバンクスの人々は、連絡が途絶えた二機の小型飛行機を待ち続けていた。二人の女性が、アメリカ本土からアラスカを目指して飛んでくるのだ。しかし、飛び立ってからすでに二十七日間が過ぎていた。初めてアラスカと出会うこのフライトを、シリアはこんなふうに回想している。

「ものすごい寒さの冬だったの。マイナス五〇度、いや、もっと下がった日がずっと続いていた。いろいろな場所に着陸しながら天気を待ち、少しずつ北に向かって飛び続けた。フェアバンクスに着いた日はブリザード（大吹雪）。どうしても町外れの小さな飛行場が見つからないの。そうしたらクリーマーズ農場の広いスペースが見えたから、そこに思いきって着陸しちゃったのよ。八インチも雪が積もってたけど、なんとかひっくり返らなかったわ。一九四七年の一月一日だった」

空を飛ぶことに憧れ、まだ未明のアラスカに冒険を求めてやってきた、若き日のシリアとジニー。彼女らがその後に辿《たど》った軌跡は、そのままこの土地の歴史でもあった。

アラスカ北極圏を飛びまわったブッシュパイロットの時代、二人は、今はもう消えてしまった古いエスキモーの暮らしを見続けた。そしてマッキンレー山の麓に建てた山小屋、キャンプ・デナリ。約二十年間運営されたこの小さな山小屋は、さまざまな人々の出会いの場所となってゆく。アラスカのナチュラルヒストリーにおける伝説的な動物学者、ミューリー兄弟、マッキンレー山全域の地図を作成した探検家、ブラッドフォード・ウォッシュバーン、極北の自然を描き続けた画家、ビル（ウィリアム）・ベリイ……。彼らはアラスカのもうひとつの歴史を作りあげていった人々であり、その輪の中心にいつもシリアとジニーがいた。

アメリカ最後のフロンティア、アラスカをめぐり、開発か自然保護かで揺れ動いた七〇年代、二人はその時代の渦の中に巻き込まれてゆく。さまざまな活動を経て、一九七六年、シリアはアメリカで最も権威のある自然保護団体、ウィルダネス・ソサエティの会長に女性として初めて就任し、アラスカからワシントンＤＣへと、中央の舞台に出ていった。この時代にシリアがアラスカの自然に果たした役割は大きい。

若き日の冒険を求め、アラスカへと飛び立ったシリアに、そんな時代が待っていようとは想像もできなかっただろう。彼女はよく言っていたものだ。

Life is what happens to you while you are making other plans.（人生とは、何かを計画している時に起きてしまう別の出来事のこと）と。

アメリカの環境保護運動の第一線から退き、アラスカに戻ってきたシリアは、若き日々を共に過ごしたジニーと一緒に、それからずっとフェアバンクスの古い丸太小屋で暮らしている。今でも山に登り、クロスカントリースキーを楽しみ、マウンテンバイクに乗り、地元の新聞にコラムを書きながら、さまざまなミーティングにも顔を欠かさない。風のように自由な精神を持つシリアとジニーからぼくが受けたもの、それは、人生を肯定してゆこうとするエネルギーだった。

六月三十日、アラスカは初夏の季節。想い続けた夢がかなう日の朝は、どうして心がシーンと静まり返るのだろう。空港の裏手のフロンティア航空の古ぼけた事務所に着く頃には、何だか気持ちが高ぶってきた。シリアとジニーが山のような荷物を背負ってやってくる。私たちの共通の友人であるマイクもこの旅に参加することになった。小学校の先生だが、アラスカの川下りのエキスパートであり、心強い助っ人だ。そして誰もが遠足へ出かける子どものように、はしゃいでいる。

「とうとう実現したね！」

「オニギリをつくってきたから、ひとつあげるよ！」

「オーイ、ゴムボートを運ぶのを手伝ってくれ！」

「ミチオ、あなたが食事当番だったでしょ。献立はなあに？」

「えーと、写真係を決めようよ」

私たちは、十人乗りの飛行機で、極北のインディアンの村アークティックビレッジまで飛び、そこからセスナでシーンジェックの谷に入ることになっていた。早春の北極圏は、毎年違う川沿いの残雪や水位の状況でセスナがどこに着陸できるかもわからなかったが、誰もそんなことは心配していなかった。シリアもジニーも、何が待っているかわからないアラスカの自然に生きてきた。大切なことは、出発することだった。

ぼくは、ふと、〝思い出〟ということを考えていた。人の一生には、思い出をつくらなければならない時があるような気がした。シリアもジニーも、その人生の〝とき〟を知っていた。

私たちを乗せた飛行機は、新緑のフェアバンクスを飛び立ち、まだ春浅いアラスカ北極圏へと向かっていった。

「見ろ、カリブーの群れが旅をしている。北へ向かっているんだ！」

ブッシュパイロットのドンの声がヘッドフォンから聞こえてきた。窓に額をつけると、眼下のブルックス山脈の稜線を四、五百頭のカリブーが帯のようになって動いている。極北の原野を風のようにさまようカリブーの旅は、途方もないこの土地の広がりにたしかな意味を与えている。セスナは稜線上を旋回した後、再びシーンジェックの谷へと向かっていった。

この旅のパイロットで、私たちの共通の友人でもあるドンは、四人のメンバーを運ぶため、極北のインディアンの村アークティックビレッジとシーンジェック川の間を二回往復しなければならない。あふれるような装備と、シリアとジニーを乗せて飛び発った最初の便が空《から》で戻ってきた時、ぼくとマイクはホッとした。とりあえずシーンジェックの谷のどこかに着陸できたからだ。川の水位、残雪の状況、雪解けまもない地面のやわらかさ……など、初夏のアラスカ北極圏の自然はまだ不安定で、いったいセスナが着陸できる場所があるのかさえもわからなかった。

いくつもの稜線を越え、突然目の前に壮大な谷が広がると、原野をゆるやかに蛇行する銀糸のような水の輝きが見えてきた。カリブーの季節移動を追って北極圏へ向かう途中、これまで何度この美しい極北の川を見下ろしてきただろう。いつの日か、いつの日かと思いながら、もう十八年が経ってしまった。

川の流れに沿ってさらに北へ飛び続け、ブルックス山脈の深い谷がどんどん両側に迫ってくると、シリアとジニーに違いない二人の人影が川原に見えてきた。セスナは山肌に沿って大きく回り込みながら降下し、やがて強い衝撃と共に二、三度大きくバウンドすると、あっという間にあたりの風景は止まっていた。

ドアを開け、川原に降りると、私たちの目の前にシーンジェックは滔々《とうとう》と流れている。テントを張っていたシリアとジニーが小走りでやって来た。

「ミチオ。私たちとうとう来たわね！」

「そう、やっと来たね、シーンジェックだよ」

私たちは、まるで子どものようにはしゃぎながら、互いに抱き合っていた。

セスナが飛び発ってゆくと、ブルックス山脈の谷の不気味なほどの沈黙が押し寄せ、聞こえるのはシーンジェックの川音だけだった。それは一度も乱されずに続いてきた太古の静けさのような気がした。私たちは川べりに立ち、その静寂に耳をすませていた。

「ミチオ、私たちをここに連れて来てくれてありがとう……」

突然のシリアの言葉に、これが二人にとっての最後のブルックス山脈の旅になることを感じた。シリアとジニーはあと数年で八〇歳に手が届こうとしていることをいつもふと忘れている。が、この数年の二人の会話の中で、これまでと違う気配に気付くこともあった。誰もが、それぞれの老いに、いつか出会ってゆく。それは、しんとした冬の夜、誰かがドアをたたくように訪れるものなのだろうか。

小さな流木を集め、焚き火の用意をしている時だった。遠くから見ていたジニーがたまりかねたように言った。

「ミチオ、何をしているの？」

「火をおこそうと思ってさ……」

「そんなに寒いかい？」

野営をする時、ぼくはもう習慣のように焚き火をした。

「見てごらん、この川原にどれだけ流木が少ないか。私たちが一晩焚き火をするだけで、おそらくここの流木をすっかり使ってしまうよ」

ほとんど木の生えないツンドラで、川の流れが運んでくるわずかな木々は貴重だった。

「アークティックビレッジのインディアンがこの谷を冬に旅するかもしれない。いつか誰かが、この焚き火を本当に必要とするかもしれないからね……」

翌日、稜線から昇る朝陽を浴びながら、私たちはシーンジェックの流れに乗った。ゴムボートの下から伝わる水の感触、飛び散る水しぶき、移り変わってゆく風景……何年も語り合った約束の川を、今、私たちは手にしていた。シーンジェックの流れは優しく、水は水晶のように透きとおっていた。川が大きく曲がるたび、極北の原野もゆっくりと回ってゆく。水の流れに運ばれて旅をしていることで、私たちはこの壮大な自然に属していた。

オールを漕ぎながら、とりとめのない話は尽きなかった。誰かが新しい話を始め、ひとしきり終わると、また誰もが黙って流れゆく風景に見入った。私たちは好きなときに、好きなところで止まった。夕暮れが近づくと、キャンプのための素晴らしい場所を捜した。どれだけ気持ちのいい夕べを過ごせるか、それは思い出に灯をともすように大切なことだった。

ある日の午後、ボートを岸につけ、私たちは原野へと分け入った。ラストレイク（最後の湖）と呼ばれる小さな湖を捜すためだった。

半世紀も前、ミューリーという伝説的な生物学者がアラスカにいた。後にアメリカ自然保護運動のパイオニアとなった人である。ミューリーは若くしてこの世を去るが、未亡人となったマーガレットは“Two in the Far North”（二人の極北）という本を晩年になって書き上げた。それはこの土地の自然に憧れる誰もが読むアラスカの古典となるが、その中にシーンジェックという章があった。ラストレイクは、若き日のミューリー夫妻がこの谷でひと夏を過ごした場所で、マーガレットが名付けた湖だった。彼女はすでに九〇歳を超えているが、今でもワイオミング州の山小屋に一人で暮らしていて、シリアの古い友人だったのだ。

「出発前、マーガレットに電話を入れたの。これからシーンジェックに出かけるって……彼女は本当に懐かしそうに言っていた。〝ラストレイクが昔のままにあるかどうか見て来てくれ〟って」

私たちは地図を頼りに山裾へ向かって歩いた。真っ青に晴れ上がったすばらしいハイキング日和だった。途中で、古いカリブーの角や、動物の糞の上にしか生えない珍しいオオツボゴケを見つけるたび、私たちはひと休みした。広大な残雪地帯を越え、小さなクロトウヒの林を抜けると、突然目の前に湖が現れた。それが〝最後の湖〟だった。

シリアとジニーは、湖畔に腰をおろし、寄りそいながら湖面を泳ぐ二羽のアビを見つめていた。湖は、長い歳月、誰も人が訪れていない気配があった。ぼくはシリアの言葉をふと思い出していた。

「ラストレイクを見にゆくのは、私たちにとって、何か聖地へ行くようなことだったの」

オオカミがベースキャンプに現れたのは次の朝のことだった。ちょうどシーンジェックの流れを渡ってくるところだった。「オオカミだ！」と、マイクはささやくように叫んだが、シリアとジニーが気付いた時にはすでに草むらの中に姿を消していた。ぼくは祈るような気持ちであたりを見つめていた。二人にどうしてもオオカミを見せてあげたかった。突然オオカミは目の前の丘に姿を現し、しばらく私たちを見下ろした後、反対側の谷間へと消えていった。

シーンジェックでオオカミを見たこと、それは私たちのこの旅を決定的なものにした。アラスカのひとつの時代を、最もキラキラと輝いて駆け抜けた二人の最後の旅に、オオカミがそっと会いに来たような気がした。子どもから大人へと成長し、やがて老いてゆく人間のそれぞれの時代に、自然はさまざまなメッセージを送ってくる。シリアとジニーが見たオオカミは、一体何を語りかけてきたのだろうか。

私たちは再びボートを流れに乗せ、川を下り始めた。約束の川、シーンジェックは、ぼくの記憶の中で流れ続け、いつの日かたまらない懐かしさで思い出す。

「あと百年も、二百年も経った時、シーンジェックの谷はどうなっているだろう？」

ジニーがオールを漕ぎながら、ふと呟《つぶや》いた。私たちはそれぞれの想いの中で、そのたしかな答えを捜していた。

ビル・ベリイのこと

早春のある日、シリアとジニー、そしてリズ・ベリイが我が家へ夕食を食べにやって来た。

もうすぐ八〇に手が届こうとする三人は、半世紀をアラスカで共に過ごした旧友である。そしてリズは、この連載のさし絵を描いた、今は亡きビル（ウィリアム）・ベリイの未亡人だ。

アラスカにもう少し早く来ていればめぐり会えたのに……と惜しまれてならない人々が何人かいる。そしてビルもまた、自分がその生涯に間に合わなかった人である。一九七九年、僕がこの土地に移り住んだその年、ビルは不慮の事故で亡くなっていた。人間が好きで、誰からも愛されていたビルが、人違いで撃たれるという信じられぬ結末で人生を閉じてしまった。フェアバンクスの町で、いやアラスカ全体で、これほど惜しまれた死はなかったかもしれない。ビルの仕事は、すでに多くのアラスカの人々の心に届いていたのである。

一九二六年、カリフォルニア生まれのビルは、物心がつく頃から何かを描き始めていた。三歳の頃には自分で描いた動物の切り絵に夢中だったというし、五歳の時には彼の最初の絵本を完成させていた。タイトルは〝なめくじ〟。それは彼のおばあちゃんにささげられたものだったらしい。

　ビルはこんなふうに子ども時代を回想している。

「私は子どもの頃に手にした動物の本をすべて記憶している。野生動物の世界……それが私が生きてゆきたい場所だった。けれども、子ども心にもった最初の違和感は、絵本の中の動物と現実の野生動物の世界とのギャップだった。私は自分の絵の中ではその隔たりをなくそうとした。子どもたちが私の絵で知った動物たちと実際に出会った時、ああ、やっぱりと、古い友だちとめぐり会ったような親しみを感じさせてあげたかった。つまりそれはどういうことかというと、私は膨大な時間を自分が描く野生動物の観察に費やした……そして絵を学ぶかわりに、動物や鳥や植物のことを学ぶのに時間をかけたのである……」

　ビル・ベリイは、画家というより、アラスカの自然をこよなく愛した一人のナチュラリストだった。彼の真骨頂は、一枚の完成された絵ではなく、一瞬の間にスケッチしたフィールドノートの中にあったのではないだろうか。

　極北の動物学の古典『アニマルズ・オブ・ザ・ノース』、生まれたばかりのムースの仔の一年をつづった名作『ディニーキ』……その二冊の本の中に描かれていたさし絵が、僕のビル・ベリイとの出会いだった。彼のスケッチに魅《ひ》かれ続けてきたのは、その類い稀れな観察力の中に、彼がどれほどアラスカの自然を愛していたかがひしひしと伝わってくるからだ。

アラスカ大学古文書資料室で保存してあるビルの原画に目を通しているとき、スケッチのひとつひとつに、「メモリイ」として記された彼の思い出が短い文章で書かれているのに気がついた。

秋のマッキンレー山の麓でハイイログマの親仔を観察した日のこと、オオカミの群れと出会った日のこと……人気《ひとけ》のない資料室でその思い出を読んでいると、ビル・ベリイが遠い日の昔話を聞かせてくれているような気がした。思わず目を止めた美しい冬景色の森の絵のわきには、短く、〝シリアの家の前で〟と記されていた。

僕はこの連載をビルのスケッチと共にできることが本当に嬉しかった。

「ビルがもし生きていたら、あなたといい友だちになったと思うわ」

と、リズがよく言っていたからだ。生前会うことができなかったのに、今、アラスカの自然を一緒に語り合っているような不思議な気がするのである。

私たちは夕食を食べながら、ビルの思い出話に花を咲かせていた。

「ビルは物語を聞かせるのがとてもうまいストーリイテラーだったわね」

「スケッチをしている時、まわりに人が集まってくるのが大好きだった。特に子どもたちがね……」

「頭の中にやりたい夢がたくさんあって、よく、一五〇歳まで予定がつまっていると言っていた」

パーキンソン病をわずらうリズは、すっかり年老いてしまったが、ビルの思い出話は彼女を遠い昔へと帰らせているようだった。そしてユーモアに富んだビルと人生を送った人らしく、震えの止まらない右手を見せながら、「春になって庭に種を蒔《ま》く時は便利なのよ」とウイットを忘れない。

が、リズを見ていると、予期せぬ事故で最愛の夫を失ったことは、今も彼女に大きな影を落としているような気がしてならなかった。

「リズ、一番強く覚えているビルとの思い出は何？」

彼女は、数え切れないくらいある、と言いながら、そのひとつを嬉しそうに語ってくれた。

「……アラスカに暮らし始めてから二年がたち、私たちは北極圏のエスキモーの暮らしを見たい想いにかられていた。そして一九五六年春、ポイントホープ村に出かけたの。今から四十年前、そこは地の果てのような村だった。私たちは僻地《へきち》飛行（ブッシュフライング）のことにまったく無知で、パイロットが残りの荷物を翌日運んでくると言ったとき、その言葉をまったく信じていた。私たちの食料とテントが届いたのはそれから三週間がたってからだった。

時は五月で、エスキモーのクジラ漁の季節だった。小さなウミアックを漕いでクジラを追う人々の暮らしはすごかった。そして今でも強く覚えているけれど、五月二十日、ビルの誕生日に、その年初めてのクジラが獲れたの。

ビルは毎日毎日、人々の暮らしをスケッチし、私もアラスカ大学の動物学教室からツンドラのネズミを収集する小さな仕事をもらっていた。そのことが私たちとエスキモーの人々の友情のきっかけになったの。なぜかって？　彼らには信じられなかったのよ。死んだネズミを妻がせっせと集めていて、その夫がネズミの死体を一生けんめい絵に描いている。どんな気違いだってそんなバカなことはしないって言って、村人たちが本当に可笑《おか》しそうにいつも笑っていた。……あるとき、エスキモーの子どもが自分の手でつかまえたレミングをもって、一〇キロも走り続けて私たちに届けてくれたことがあった……」

僕は、年老いて、すっかり身体の自由がきかなくなったリズを見つめながら、彼女が過ごした若き日の冒険に思いを馳せた。今の彼女の姿から、その面影を捜すことは困難だったが、それがよけいに僕を感動させていた。そしてそのあらゆる思い出の地に、ビルが立っているのだった。

「残された私の仕事は、ビルの描いた絵をできるかぎり多くの人々に見てもらうこと……」

とリズは言った。

フェアバンクスの町の図書館には、〝ビル・ベリイ・ルーム〟と名付けられた子どもたちのための部屋がある。そこには絵本だけにとどまらず、たくさんの恐竜の模型が飾ってあり、自然の不思議さを教える多くの映画会も開かれる。この部屋の前を通り過ぎ、床に座りながら絵本に見入っている子どもたちを見るたび、ぼくはふっとビル・ベリイの存在を感じる。これほどふさわしい、彼の生涯に対する贈り物はないのではあるまいか。

リズは、ビルがこの世を去ってから十年後に出版された画文集『ビル・ベリイズ　コレクション』の序文をこんなふうに締めくくっている。

〝……私は、困難な日々をくぐり抜けさせてくれた、家族や友人たちに感謝を伝えたい。そして、とりわけビルに……あなたは今も愛されていて、決して忘れられはしない〟

ある親子の再生

この数年、南東アラスカのクリンギットインディアンの世界を旅している。かつて人々がトーテムポールの文化を築きあげた頃の、神話の気配を今も残す、森と氷河に覆われた神秘的な土地である。そしてフィヨルド地形に囲まれた多島海には、夏になるとザトウクジラが帰ってくる。

ぼくはこの土地で忘れ難いクリンギット族の親子に出会った。今年八〇歳になるエスター・シェイと、その息子ウィリー。ことに同世代のウィリーからは計り知れない力を受けたような気がする。

最後の氷河期、干上がったベーリング海の草原を渡って来たエスキモーやアサバスカンインディアンと異なり、氷河が迫る海岸線に独自の文化を築き上げたクリンギット族がどこからやって来たのかは謎に包まれている。が、ある古老が語ったこんな話が残されていた。

「昔々、海の方から人が流されてきて、プリンス・オブ・ウェイルズ諸島の南西に浮かぶドール島にたどり着いた。その人々は、ウィシュンシャンアデ（何かとても古い生きものという意味らしい）と呼ばれ、今のタクウエイデ・クランの遠い祖先だと言われている」

クランとはある種の家系のようなもので、先祖の始まりはさまざまな動物の化身と人々は信じ、その家系の動物によって複雑なクリンギットインディアンの社会が出来上がっていた。その中でもオオカミとワタリガラスは中心を成し、タクウエイデはクリンギットインディアンのオオカミ族の最も古くて重要な家系だという。多くの古老たちは、タクウエイデの祖先の海からやって来た異人たちが、この海岸線に初めて住みついた人々だと信じていた。つまり内陸部から海の幸を求めて移動してきたもともとのインディアンより、彼らはこの土地に先にたどり着いたという。そしてこの異人たちは、アジアから流れ着いたのではないかという言い伝えがある。が、数千年前もの物語である。そしてエスター・シェイがそのタクウエイデ・クランの家系だった。

ぼくは、クリンギット族の社会で最も尊敬されている古老の一人であるエスターに以前から会いたかった。消えようとする物語を自分の耳で聞いておきたかった。けれども、エスターと会って最も強い印象を受けた物語は、時代という渦に翻弄されながら生きた彼女の人生そのものだった。

「おばあさんに言われたことは今でもはっきり覚えている。どれだけ時代が変わろうと、どんなに顔を洗っても、おまえのクリンギットインディアンの血は落ちはしないと……」

一九〇〇年代の初めから約半世紀続いたアラスカ先住民に対する同化政策の目的は、エスキモーやインディアンをアメリカ人に仕立ててゆくことだった。シャーマニズムは否定され、子どもたちは村から遠く離れた寄宿学校に送られ、そこでは自分たちの民族の言葉を使うと体罰が加えられた。この時代にアラスカ先住民の言語は消えていったのである。ぼくはそのことを歴史としては知っていたが、その時代が今もどれだけ深い傷を人々の心に残しているのか、エスターに会うまで何も理解していなかった。

「時代が変わり、ある時、クリンギット語を村の小学校で教えてほしいと頼まれた。子どもたちの前に立ったとき、私は怖くて仕方がなかった。心の中にクリンギット語をしまい、しっかりと鍵をかけてから四十年が過ぎていた。……本当に言葉が出てくるのか……」

エスターは言語だけではなく、クリンギット族の古いしきたりをもち続ける数少ない古老である。が、彼女は激動の時代を過ごし、自分自身を見失いそうになりながら、苦しみ抜いてやっとその場所に戻ってきたのである。エスターは、今残りの人生をかけて、クリンギット族の子どもたちに何かを託そうとしている。彼女が人々に敬われているのは、暖かい人間性や、古いしきたりを知っているからだけではない。長い旅をへてしっかりと元の場所に帰って来た彼女の人生を、クリンギット族の人々はひとつの道しるべとして、自分自身の人生と重ね合わせているのかもしれない。

エスターの息子ウィリーには、初めて会った瞬間に、強いスピリチュアルな何かを感じていた。風のようにひょうひょうとして、まったく陽気な男なのに、彼の美しい視線はいつも相手の心の奥底を優しく見透かしていた。その美しさはある深い闇を越えてきたまなざしでもある。ウィリーはベトナム帰還兵だった。

「息子はおれの命の恩人なんだ……」

と、かつてウィリーが言ったことがある。

より多くの黒人が、より危険な前線に送り出されたように、エスキモーやインディアンの若者たちもまた同じ運命をたどった。ベトナム戦争で五万八一三二人の米兵が命を落としたが、戦後、その三倍にも及ぶ約十五万人のベトナム帰還兵が自殺していることはあまり知られてはいない。ウィリーもやがて精神に破綻《はたん》をきたし、首をつって自殺を図る。が、その時、わずか七歳だった息子が必死に父親の身体を下から支え続けたという。

ずっと以前、ぼくはワシントンDC郊外の森の中の〝ウォール（壁）〟と呼ばれるベトナム戦争慰霊碑を訪れたことがあった。一〇〇メートル以上も続く美しい石の壁に戦死者の名前が刻まれていて、陽が落ちるとあたりはコオロギの合唱に包まれ、死者の魂が癒されてゆく清冽《せいれつ》な気配が漂っていた。ぼくはその時、気の遠くなるように続く死者の名前の中に、どれだけ多くのアラスカのエスキモーやインディアンの若者が含まれているのかを想像だにしなかった。

ウィリーは長い心の旅をへて、クリンギットインディアンの血を取り戻そうとしている。そして今も心を病むベトナム帰還兵のインディアンの同胞を訪ね、その痛みに耳を傾けていた。それだけでなく、監獄にいるインディアンの若者たちを訪ねては再生への道を共に歩いている。それは戦後荒れていった彼自身がたどった道でもあった。そしてウィリーが素晴らしいのは、その行為が自然で、何の気負いもないことだった。

早春のある日、ぼくはウィリーと一緒に、南東アラスカの海へ漁に出た。オヒョウのシーズンが始まろうとしていた。かつてクリンギット族は一本の大木をくりぬいたカヌーでこの極北の海に生きたように、ウィリーもこの海の潮風に吹かれながら生まれ育った漁師だった。

その日、私たちはたくさんのオヒョウの群れに出会い、思いがけない大漁となった。夕方には村に帰るはずだったのに、真夜中の零時を過ぎても魚をさばく作業は終わらなかった。久しぶりの好天で、空には覆いかぶさるように無数の星がまたたいていた。

「何てきれいなんだろうな……」

ウィリーが手を休め、夜空を見上げながらふと呟いた。同じ星空を眺めているのに、ぼくはウィリーが自分の見知らぬ世界にいるような気がしてならなかった。

漁に出る前、ウィリーは小さな漁船の上から薬草をすりつぶしたものをそっと海面にまき、この海に生きた祖先の魂に祈った。

「あらゆるものが、どこかでつながっているのさ……」

いつも冗談ばかり言っているウィリーが、そんな時、あの深いまなざしとなった。ぼくは人が祈るという姿にこれほど打たれたことはなかった。

南東アラスカの太古の森、悠久な時を刻む氷河の流れ、夏になるとこの海に帰ってくるクジラたち……アラスカの美しい自然は、さまざまな人間の物語があるからこそ、より深い輝きを秘めている。

母親のエスターも、息子のウィリーも、時代を超えて、同じ旅をしているのだと思った。きっと、人はいつも、それぞれの光を捜し求める長い旅の途上なのだ。

はじめてのアフリカ

久しぶりに家に戻ると、オーストリアのザルツブルクからファックスが届いていた。

「ミチオ、元気ですか。アフリカではいい旅が出来ましたね……今、ミヒャエルと一緒です。ええ、アラスカには来年行きたいと思っています……」

それはアフリカのタンザニアで三十年以上にわたってチンパンジーの研究を続ける女性動物学者、ジェーン・グドールからの手紙だった。ザルツブルクに住むミヒャエルという共通の友人を介しためぐり合わせで、昨年の二月、私たちは一緒にアフリカを旅した。彼女が生涯の大半を過ごしてきたタンガニーカ湖畔のゴンベの森を訪れるためである。わずか二週間の旅ではあったが、ジェーンと過ごした時間は珠玉の思い出となった。

人が旅をして、新しい土地の風景を自分のものにするためには、誰かが介在する必要があるのではないだろうか。どれだけ多くの国に出かけても、地球を何周しようと、私たちは世界の広さをそれだけでは感じ得ない。が、誰かと出会い、その人間を好きになった時、風景は、はじめて広がりと深さをもってくる。チンパンジーの研究に生涯をかけたジェーン・グドールを通し、ぼくははじめてのアフリカを垣間見ることができた。

一九三四年。ロンドンで生まれたジェーンは、たまごのことで頭を悩ませていた少女だった。彼女の伝記『チンパンジーの森へ』の中で、一体メンドリのどこからたまごがでてくるのかと観察するシーンは、なかなか感動的である。二三歳の時にアフリカに行ったジェーンは、オルドバイ峡谷で人間の起源を求めて発掘をしていた人類学者ルイス・リーキーと出会う。後に有名な猿人の頭骨を発見するルイス・リーキーとの出会いを、ジェーンは本の中でこう回想する。

「運命がわたしの旅路をルイス・リーキーに向け、次に彼がわたしの進路をタンザニアに向けてくれ、アフリカ中で一番安定し、平和で自然保護に目覚めているこの国の支援を受けて、わたしは次から次へと出てくる沢山の知りたいことを追求することができた……」

ルイスはタンガニーカ湖のほとりに住む野生チンパンジーのことをジェーンに話し、彼らの暮らしを知ることが私たち人間自身を知るきっかけになるだろうと説く。ルイスが矢を放ち、彼女の心はそれを受け止めたのだ。

チンパンジーの森に入ってゆくジェーンは、当時研究者として必要な生物学の学位さえなかった。そのかわり、メンドリのたまごで頭を悩ませていた頃の自然に対する想いをもっていた。そして三十数年にわたる彼女の業績は、世界中の人々、子どもたちの心をとらえていった。その中でもチンパンジーが木の枝をたくみに使ってシロアリをとる発見は、道具を使う生きものという〝ヒト〟の定義を変えていった。その後ジェーンはケンブリッジ大学で動物行動学の博士号は取ったが、彼女の中には今もアマチュアリズムの精神が強く生きている。

短い旅ではあったが、懐かしい思い出は数知れない。アフリカの風を感じながら海のようなタンガニーカ湖を渡ったボートの旅、その途中で見た自然と共に生きる人々の暮らし、ゴンベの森最大のチンパンジーに襲われた朝のこと……その思い出の中にいつもジェーンがいた。

夜になると、夕食を食べながらさまざまな話をした。ぼくはアラスカで撮影しているカリブーの季節移動やクマの話をしながら、何だかとても遠い世界にいるような気がしてならなかった。昔話を聞かせてくれたジェーンの静かな語り口は、虫たちの小さな合唱しか聞こえないアフリカの静かな夜にぴったりだった。湖のほとりにある質素な研究所は電気もなく、私たちは暗闇の中でお互いの顔さえ見えずに語り合った。壁に映し出された私たちの影だけが、ランプの灯に揺らめいていた。

ゴンベの森で迎えた最初の朝は、とりわけ印象的だったのだろう。その日の日記をこんなふうに綴っている。

二月十八日、快晴

まだ夜明け前だというのに、Tシャツはぐっしょり汗ばんできた。うっそうとした森の中を、息を切らせて登ってきたこともあるが、それにしても何という湿気なのだろう。ふっと、アラスカの、あのひんやりとした乾いた風が懐かしい。

ぐんぐんと山の高度をかせいでいくと、いつのまにか木立の間から海のようなタンガニーカ湖が見下ろせる。遥かな対岸の、ぼんやりとした山の影は、ザイールに違いない。ぼくは心の中で、〝アフリカだ！　アフリカだ！〟と叫び続けている。

からみつくツタを辛抱強く身体から引き離し、びっしりと行手をふさぐ密林帯をくぐり抜けてゆく。目的地はもうすぐらしい。陽が昇り始める前にそこへたどり着かなければならないのだ。

突然、頭上から、小枝の折れる音が聞こえてきた。見上げると、欠け始めた満月が白々と明けてゆく空に浮かんでいて、おおいかぶさるように張りだす巨木のシルエットのあちこちで、たくさんの黒いかたまりがゆっくりと動き始めている。昨晩、チンパンジーの群れが眠りについたという場所にたどり着いたのだ。

ぼくは軽ザックをかついだまま、朝露に濡れた深い草の中に腰をおろす。草いきれなのか、土の匂いなのか、見知らぬ土地のかおりを味わいながら吸い込んでみる。小さなバッタが、目の前の草の葉にじっととまっている。こんな瞬間、新しい土地へやって来たことを感じる。ライオンや、ゾウを見るよりも、何でもない見慣れた風景の中、今、アフリカにいることを感じている。

ザイールの空が赤く染まってきた。やがて木の葉のすれ合う音と共に、樹上の寝床から目を覚ました森の隣人たちは、影絵のように枝から枝へと伝って地上に降りてくる。

突然、草むらの中から何かが飛び出してきて、小さな叫び声をあげながら、ほとんど肩が触れ合うようにすり抜けていった。そしてあっという間もなく、次から次へと黒い大きなかたまりがぼくのすぐわきを通り過ぎてゆく。やがてすっかり姿が見えなくなると、いつしか森の中はチンパンジーの声に満ちあふれ、ぼくは、はじめてのアフリカの朝の歌に耳をすませていた。


アフリカ最後の夕べ、私たちは、この旅の思い出、アフリカの未来など、夜ふけまで語り合った。ジェーンは、いつかアラスカを訪ねたいとも言った。そして彼女は、少しだけ「ルーツ・アンド・シューツ（根っこと新芽）」の話をした。

それは、子どもたち、そして若い世代のための、自然の理解、未来の人間と自然との共生への正しい道の模索を呼びかけるジェーンの活動で、現在、世界三〇カ国以上で展開されている。彼女が〝ルーツ・アンド・シューツ〟を通して伝えたいメッセージは、私たち一人一人がその一生において果たす役割であり、もしそうしたいと思って努力をすれば、この世界をほんの少しずつ良い方向へと変えることができるという願いなのだろう。まるで残りの人生をそれにかけているようなジェーン・グドールの想い……。

ふと、今は亡き作曲家の武満徹の言葉を思い出していた。それはぼくがとても好きな言葉だった。

「この世界を、もうどうしようもなくなっているのに、やはり肯定したい気持ちにさせられる。あきらめと希望が同居し、明るさと悲しみが一緒くたなのに、私は明日のことを考えている」

ジェーンは突然手を差しのべ、ぼくとミヒャエル、一人一人の手を握った。ぼくは、何か、言葉にならない約束をさせられたような気がした。それが、私たちのアフリカの旅の終わりだった。

ぼくたちのヒーロー

ショーンのことをいつか書こうと思ってきたのに、ずっと書けないでいた。どうやっても彼のことをうまく伝えられないような気がするのだ。

あるとき、友人たちともそんな話になった。

「ショーンのことを、確かに説明するのって、むずかしいよね」

「ああ、あいつに会わなければダメだ」

「めったに出会わない人間だよな」

「子どものように、夢を追って生きている奴……と言ってしまえばそれまでだし……」

ぼくはしばらく考えあぐね、こう話した。

「ショーンと会っているとき、ああ、自分は今、アラスカにいるんだなって気がする」

ショーンは今年四〇歳。身体の小ささもあるが、そのいたずらっ子のような目の輝きは、彼をせいぜい二〇代にしか見せない。その身体の小ささが、ショーンの人生に少なからず影響を与えてきた。ショーンはいつも大きなものに憧れてきたのだ。そうだ、昨年完成した、彼の家の話から始めよう。

ショーンは、たった一人で、約七年の歳月をかけて、フェアバンクス郊外の森の中に巨大な塔のような丸太の家を作ったばかりだった。七年前、ショーンが何かをやり始めたと聞いて見に行ったとき、組み立て始めた丸太の外ワクの中心から、らせん状に空へと伸びようとする階段だけは今でも覚えている。が、あまりに気の遠くなるような壮大なプロジェクトに、ぼくはショーンが描いていた夢の家の形を想像することが出来なかった。まるで〝ジャックと豆の木〟のように家の高さが毎年空へと伸びてゆき、今は、森を見下ろすようにそびえるショーンの家が、遠くからも眺めることができる。

　ショーンの年老いた両親も、夏になるとカリフォルニアからやって来て、息子の夢を手伝った。母親のフローラリイは、家の床になりそうな廃材を集めてきては、ひと夏かけて古いクギを一本一本抜いていったという。初めて彼女に会ったとき、ショーンはこの母親のもとで育ったのかと、少し理解できたような気がした。この人は何も持っていない、物質的なものに執着していない、別の価値観の中で生きている、と思った。麦ワラ帽子をちょこんとかぶり、もうこれ以上デコボコにはなり得ないおんぼろ車を運転し、素朴で、何とも可愛らしいフローラリイ。ぼくは、彼女が息子のショーンを見つめる視線が好きだった。いい生き方をしている、これで良かったんだという……。

　ある時、フローラリイが語ってくれた、ショーンの子ども時代の話は忘れられない。

「あの頃、カリフォルニアに、ウォールデン・スクールというプライベートな学校があったの。ソローが『森の生活』を書いた時に暮らしたウォールデン・ポンド《（池）》からとった名前ね。それまでの決まりきった学校教育ではなく、もっと子どもの自由を尊重する思想で始まった学校だった。そんな学校でも順位というものができて、ショーンは何をやらせてもビリだった。精神科に一度診《み》てもらったらどうかと先生に言われたほど、ボーッとしていて、ショーンは他の生徒と違っていたの。でもね、私は、ショーンがいつも何かを考えているような気がしていた。

ある日、ショーンへ一通の手紙がアラスカから届いた。家族以外の人間を見たことがない、原野で暮らす少年からだった。手紙の内容は、自己紹介と、ぼくのところへ遊びに来ないかと……。それはこういう話だったの。

その頃、アラスカ北極圏のブルックス山脈で、ある家族が暮らしていた。当時アラスカは地の果てのように遠く、その家族は人里からさらに何百キロも離れた山の中の湖の畔で、まったく狩猟生活だけで生きていた。湖の名はワイルドレイク。家族には一人の男の子がいて、一〇歳になろうとしていたの。両親は家族以外の人間を見たことがない子どもに、同じ年頃の友達が必要だと感じたのね。

いろいろな人々のつてを通し、カリフォルニアのショーンの学校の校長に、ある日、その両親から手紙が届いた。誰か、アラスカに来て、息子の友達になってくれる子はいないだろうかと……。校長は、たった一人いると返事を書いて、ショーンを紹介した。

そして、少年から手紙を受け取ったショーンは行ったのよ、何度も何度も、毎年夏が来ると……。その少年が一六歳のとき、ワイルドレイクでおぼれて死ぬまで……。そこで一年を過ごしたこともあったのよ」

ぼくはその時初めて、ショーンとアラスカとの最初の関わりを知った。彼はワイルドレイクに小さな丸太小屋を持っていて、毎年秋になるとムースの狩猟のために戻ってゆくわけも、やっとわかった。その湖はまた、奥さんのスージーと出会った場所でもある。大人になって、再びワイルドレイクに帰った時、そこで、たった一人でスージーが原野の暮らしをしていたのだ。その時、彼女にとって、ショーンは半年ぶりに見る人間だったらしい。なぜそんな暮らしを彼女がしていたのかは、聞いたことがない。子どものようなショーンと、美しく神秘的なスージーの組み合わせは、どこか不思議だった。

ショーンのもうひとつの側面は、彼がアラスカの自然を守ってゆこうとする、フェアバンクスの若者たちの中心的な人物だということだ。自然保護運動とはどこか違うショーンらしいメッセージの送り方に、まわりの人間が魅《ひ》きつけられてきたのだろう。一九七〇年代の終わり、アメリカの経済政策の中でアラスカが開発か自然保護かで大きく揺れた時代、ショーンはアラスカからフロリダまで三百日余りもかけて、ただひたすら走ったのである。

そういえば、友人たちとショーンのことを話していた時、こんな話題も出た。

「ショーン、字が書けないんだよな」

「いや、アルファベットの感じはつかめているんだが、スペルがメチャクチャなんだ。たとえば、テーブル（机）を taible と書いてしまう。何しろ学校で何も勉強しなかったらしいからな」

そのショーンが、今、スージーにスペリングの助けを受けながら、彼の心の中に描いてきたオオカミの長編を書いている。ぼくはいつか、その物語を読みたいと思う。

昨年の九月、完成したばかりの家でショーンの誕生パーティーが開かれたとき、ぼくは本当にびっくりした。老若、子どもを含め、二百人近い人々が集まったのだ。四〇本のろうそくが立てられたケーキが運ばれてきたとき、一人の若者が立ってスピーチをした。彼は、子ども時代に自分が憧れたヒーローの話をした後、こんなふうに最後の言葉をしめくくった。

「……でも、今、自分のすぐそばに、ヒーローがいる」と。

ぼくは、ショーンの存在が、どれほどまわりの人々の心に触れているのかを改めて感じていた。そして、その若者が使ったヒーローという言葉が、ショーンにふさわしいと思った。彼を知る人々だけが知るヒーロー……ショーンの存在は社会の尺度からは最も離れたところにある人生の成否を、いつもぼくたちにそっと教えていた。

が、ここまで書いてきて、ショーンのことを何もうまく伝えられていないような気がしてきた。もし、いつか、アラスカのフェアバンクスに来るようなことがあったら、是非ショーンの家に泊まってほしい。こんなに大きな家を作って一体どうするんだという周囲の心配も、ショーンとスージーの夢であったB&B（ベッド・アンド・ブレックファスト、つまり民宿）を経営することで解決した。名前は、クロウドベリイB&B。そしてここは、フェアバンクスの若者たちが集まる大切な場所にもなりつつある。

こんなに素敵なB&Bはめったにない。それぞれの部屋はスージーが子どもの頃におばあちゃんが集めたアンティックの家具で飾られている。そしてこの民宿の宝は、言うまでもなくショーンとスージーである。まだ若き彼らが、今起こりつつある、アラスカの物語を聞かせてくれるだろう。

ザトウクジラを追って

夏になると、南東アラスカの海にザトウクジラを追った。水際まで迫る原生森林、背後にそびえる氷河を抱いた山々、そして無数の島々を散らばせたフィヨルドの美しさ……初めてこの土地を旅する者は、アラスカのイメージをすっかり塗りかえることになるだろう。

だが地球的な時間から見れば、ここはまだ新生の大地。最後の氷河期、洪積世が終わるわずか一万年前まで、南東アラスカは厚い氷に覆われていた。やがて氷河はゆっくりと後退しながら無機質な大地を露出させ、いつのまにか原始的な地衣類が最初に根を下ろしてゆく。気の遠くなるような植物遷移のスタートだ。そしてさまざまな植物の時代をへて、今、南東アラスカはトウヒやツガの森の時代に入っている。

うっそうとした森に足を踏み入れると、昼間だというのに、あたりは夕暮れのように暗くなる。びっしりと苔《こけ》に覆われた緑の世界から、かつてここが氷河だったことを想像するのはむずかしい。所どころに見る幽霊のような樹々は、以前この森を形づくっていたハンノキの朽ち果てた姿だ。そう、森は動き続けている。

海はどうだろう。氷河期が終わり、氷の中に蓄えられていた地球の水分は再び海水へと戻り始め、海はゆっくりと陸地に押し寄せてきている。そして決して昔の出来事ではない。氷河は今日も後退しながら、僕たちは今、海が上昇する時代に生きているのだ。静かな夕暮れ、かつては氷河の谷であったフィヨルドの海原にボートを浮かべ、あたりをとりまくクジラの呼吸音に耳をすませていると、地球は本当に水の惑星なのだなと思う。

僕は友人のリン・スクーラーと一緒に、八月の南東アラスカの海を旅していた。かつて漁師だったリンは、この海に精通し、四度の夏にわたりクジラを追う旅を共にしてくれた。

「あのクジラに今年も出会えるかな」

「これまで毎年見てきたんだもんな。あいつは絶対戻って来るさ」

ハワイで冬を過ごしたザトウクジラは、夏になると四〇〇〇キロの旅をへて豊かなアラスカの海にやって来る。暖かいハワイの海は、出産と子育てには適しているが、ザトウクジラにとっては食べるものがない不毛の海である。それにくらべ、プランクトンに満ちたアラスカの夏の海。ここで過ごす数カ月は、ザトウクジラの大切な採食の季節なのだ。

「ビッグママ、今何歳ぐらいだと思う？　あの大きさからするともうずいぶん年老いてるんだろうな」

「でもクジラは人間と同じぐらいの寿命があるんだろ。まだまだ生きられるさ」

クジラは長い潜水に入る直前、尾ビレを垂直に上げてその形をくっきりと見せてくれる。それがクジラを個体識別する唯一の手がかりだ。すべてのクジラがそれぞれ固有の形と模様をもっているからである。鋭い切れこみと鮮やかな白い模様の尾ビレをもつその巨大なクジラ。ビッグママは、夏にやって来る千頭にも及ぶザトウクジラの中で、ただ一頭僕たちが個体識別できるクジラだった。しかし考えてみれば、この広い海原で、毎年ある一頭のクジラと出会い続けるとは不思議なことでもある。

ビッグママとの最初の出会いは、今から五年前にさかのぼる。その旅は（そのクジラはと言った方がよいだろう）いつもある一人の初老の女性を思い起こさせる。

僕はその夏、クジラの調査船に乗ってこの海を旅していた。この船には研究者だけではなく、二〇人近い一般の観光客も乗ることができた。小さな船の共同生活の中で、誰もが親しくなるのに時間はかからなかった。なぜなのか、乗船者は初老の人々が多かった。すでにお互いに夫を亡くした姉妹は、五十年ぶりに一緒に旅をしているのだと言った。どのような人生を歩いてきたのかと問うわけでもなく、南東アラスカの自然の中で、誰もがつかの間の出会いをいつくしんでいるように思われた。

七〇に手が届くであろうナンシーは、たった一人で参加していた、もの静かな美しい女性だった。口数も少なく、いつもそっと皆から離れていたのに、上品さと優しさがにじみでるようなナンシーを誰もが好きになった。彼女が数カ月前に御主人を亡くしたことは誰からともなく聞いていた。カリフォルニアからアラスカの夏の海へ、はるばるクジラを見に来たのだった。

旅の中で、ナンシーは誰よりもじっと自然を見つめていた。シャチの群れが船を追い越して水平線に消えていったとき、ハクトウワシが空から急降下して魚を捕えたとき、すばらしい夕陽が沈んだとき……彼女はいつも自分の小さなノートに何かを書き記していた。

ビッグママに出会ったのはそんなある日だった。水平線から立ち昇るいくつもの白い息を見つけた僕たちは、船の速度を上げて近づいていった。それは七～八頭のザトウクジラの群れだった。バブルネットフィーディングと呼ばれるすさまじい採食行動を見たのは、それが初めてだった。海面に直径一五メートルもの大きなあぶくの円が現れたかと思うと、その中からザトウクジラの群れが巨大な口を開けながらロケットのように空中へ飛び出してくるのである。その信じ難い光景に誰もが言葉を失っていた。

ニシンの大群を見つけたザトウクジラは、その下をあぶくを出しながらぐるぐると旋回する。あぶくは海中で円柱となり、その中に閉じ込められたニシンの群れはひたすら海面へと逃げ集まってくる。そこを一気に口を開けながらクジラの群れが飛び出してくるわけだ。その直前、何を意味するのか、海の中からかすかなクジラの歌が聞こえてくる。それは不思議な音色だった。そして何度その行動を繰り返そうと、中心から飛び出してくるのは一頭の同じ巨大なクジラなのだ。そのクジラが歌をうたい、すべての行動をリードしているかのように思われた。その後さまざまな場所でバブルネットフィーディングを見ることになるが、こいつほど高くパワフルに舞い上がるクジラと出会うことがなかった。それが研究者が名付けた、ビッグママだった。僕たちはそのクジラの群れと丸一日旅を続けたのである。

クジラは圧倒的な生きものだった。小さなアリが生きる姿に目を奪われるように、僕たちは巨大なクジラに感動する。だがそれは、生命のもつ不思議さというより、一頭のクジラの一生を超えた果てしない時の流れにうたれているような思いがする。それは人間をも含めた生物の進化とか、地球とか、宇宙につながっていくような存在だった。

夕暮れが近づいても、ビッグママを中心とした群れは、潮を吹き上げながら船のすぐ近くを進んでいた。一日中クジラと過ごし、多くの人びとは見飽きたのかそれぞれの部屋に戻っていた。八月とはいえ、日の沈む頃のアラスカの海は寒かった。ナンシーがたった一人で、リビングルームの窓ガラスに顔をつけるように、夕焼けの海を力強く進むクジラを見つめていた。部屋の暖かさで曇ったガラスは、彼女の顔のまわりだけが溶けかけていた。僕はなぜかナンシーに声がかけられなかった。ピーンと張りつめたような時間だけが流れていた。やがてドアが開き、はしゃぎながら夕食の用意を知らせに来た若者たちの輝きにそれはかき消されていった。

この夏、リンと過ごした南東アラスカの海はすばらしかった。大きなシャチの群れに何度も出会い、そのたびに僕らは方向を変えて彼らと一緒に旅をした。たくさんのザトウクジラも見かけ、あの不思議な採食行動も目にすることができた。だが、ビッグママを見ることはなかった。さみしい思いはあったが、ホッとしたのも正直な気持ちだった。もし今も生きているのなら、同じクジラに出会い続ける不思議さより、海洋の広さを感じていたかった。

旅も終わりに近づいたある日、僕たちは夜の海にカヤックで漕ぎ出した。近くに数頭のザトウクジラがいたのだ。鏡のような凪《な》いだ海に、聞こえるのはクジラが潮を吹く音だけだった。パドルを水に入れるたび、海は青白い夜光虫の光に輝いた。驚いた魚が、その不思議な光に包まれて暗い海に消えてゆく。その光もまた、この海の豊かさを物語っていた。僕たちは何やら夢心地でカヤックを漕ぎ続けていた。

カリブーフェンス

一緒に過ごしている時〝ああ、自分は今アラスカに生きている〟と、しみじみ感じさせてくれる人間がいる。

長い撮影の旅から久しぶりにフェアバンクスの我が家へ戻ると、翌日の早朝、必ずといってよいほどアサバスカンインディアンのウォルターから電話がかかってきた。「ミチオ、おかえり！……」僕は眠い目をこすりながら、またウォルターかと苦笑してしまう。長い間そのことを不思議に思っていたが、最近になりその理由がわかった。何てことはない。僕が帰って来そうな十日も前から毎日電話をしているのである。

ウォルター・ニューマン、五五歳、は、天衣無縫な、無類の好人物だった。実際、それ以外にこの男を説明する術を知らない。僕とウォルターには、二人にしか通じない訳のわからぬ冗談があった。いつだったか、僕がこんなことを言ったのがきっかけである。「ウォルター、学校を卒業すると学位というものをもらえるだろ。ウォルターは本当にいい奴だから、グッドマン・ディグリィ（良い人間の学位）をいつか僕があげるよ」ウォルターは本当に笑い転げ、それ以来僕たちの会話に欠かせぬ一言になった。

「ミチオ、いつグッドマン・ディグリィをもらえるんだ?」「ウォルター、もうちょっとだよ……」

まったく他人には意味不明の冗談だった。しかし、人間に生まれもった資質というものがあるならば、ウォルターが本当に上質な人間であることを僕は知っていた。

アラスカ先住民の分布を大きく分けると、海岸部にエスキモー、内陸部にはアサバスカンインディアンが暮らしている。ウォルターの身体を流れる血が実はエスキモーであることを知ったのは、彼の口からフランク安田の名前がでた時だった。一九〇七年、飢餓に襲われたエスキモー村の人々を一人の日本人が率い、二年間をもかけて北極圏の原野を越え、インディアンの世界である現在のビーバー村へとたどり着く壮大な物語。その旅の中に、まだ子どもだったウォルターの父親が一緒にいた。晩年の父親から聞かされたその旅の話をウォルターは語り部のように覚えている。

ビーバー村で生まれたウォルターは、結婚をしてブルックス山脈のアークティック村へ移るが、今はフェアバンクスとの間を行ったり来たり、まったく住所、職業、不定である。インディアン協会の仕事をしているかと思えば、フェアバンクスの街角で仲間と共にフィデロミュージック（ギターとバイオリンで奏でる古くからのインディアンの音楽）を演奏していた。そして、アラスカ大学の研究者たちになぜかウォルターが知られているのは、彼がもつ自分の民族に対する歴史的な知識、興味、それに誰をも魅《ひ》きつける素朴な人間性に拠《よ》るのだろう。

もう何年も前から、僕たちはある計画を話し合っていた。ウォルターと僕が共有する世界、それはカリブーだった。話は百年以上も前のアラスカ北極圏にさかのぼる。

アラスカに銃が入ってくる十九世紀以前、アサバスカンインディアンの狩猟は弓と槍に頼っていた。広大な原野を旅するカリブーに依存していた人々は、いつの頃からか、カリブーフェンスと呼ばれる壮大な狩猟法を思いつく。山の斜面や谷に、カリブーの季節移動のルートを想定して巨大なV字状のフェンス（柵）を作り、知らぬ間に入ってゆくカリブーをその奥で待ち伏せるのだ。北極圏のツンドラ地帯と南の森林地帯の間を、春と秋に旅をするカリブーの本能を利用した、何とのんびりとしてスケールの大きな狩猟法だろう。

カリブーフェンスの時代がいつ始まり、いつ終わったのかはもう誰もわからない。二十世紀になり、極北のインディアンが近代と出会う中でその存在さえも忘れ去られていったのだろう。現在の村からは遠く離れた山中に位置していたことも人々の記憶から急速に消えていった理由かもしれない。木の文化はやがて自然に帰るように、カリブーフェンスそのものも原野の中に消滅していったのだ。

一九七〇年代初め、一人の生物学者がアラスカ北極圏のカリブーの調査を始めることになる。一体カリブーがどのようなルートを通って旅をしているのか、それまでほとんど白いベールに包まれていたのである。それは五年にも及ぶ調査となった。生物学者の名前はデイブ・スワンソン。彼はこの壮大なプロジェクトに土地に精通する一人のアラスカ原住民を雇わなければならなかった。その仕事に志願してきたのがウォルターだった。ウォルターが住むアークティック村は、アラスカ北極圏で最もカリブーに依存するインディアンの土地だった。

ある春の日の夕暮れ、カリブーの群れを捜しながらブルックス山脈をセスナで飛んでいた二人は、山の斜面にV字状の白い巨大な模様を見つける。数日後、歩いてその場所を訪れたデイブとウォルターは、それがかつてのカリブーフェンスの跡であることを確認した。すでに朽ち果て、歩いて通り過ぎても気付かぬほどの残骸は、ナスカの地上絵のように空から見ないとその形はわからない。それも雪が消え、まだ夏草が生え始める前のわずかな一時期、朝夕の斜光線の中でやっと白く地上に浮かび上がるだけのものだった。

アラスカに移り住んだ最初の年、僕はひょんなことからデイブと知り合い、北極圏の海鳥の調査に同行した。夜になると、テントの中で、北極海の波音を聞きながらデイブの語るさまざまなアラスカの物語に耳を傾けた。デイブは五年にわたるカリブーの調査を終えたばかりで、とりわけその話は僕を魅《ひ》きつけた。アラスカへの夢ではち切れそうだった僕にとって、言葉のひとつひとつが身体にしみ込んで血肉となった。おまえが本当にアラスカの自然と取り組んでゆくのならカリブーをやってみろ、とデイブは言った。何もわからないのに、それが大きなテーマになってゆくたしかな予感がした。その時、ウォルターやカリブーフェンスの話がでたことをおぼろげながらに覚えている。

ウォルターから突然電話があったのはそれから五年もたってからだった。

「おまえのことはデイブから聞いている。カリブーをやっているんだってな。いろいろ話があるからちょっと出てこい……」それが始まりだった。

頭がほとんどはげ、小柄でがっちりとしたそのインディアンはニコニコして僕を待っていた。人の気持ちを暖かくさせる笑顔だった。僕はウォルターのもつカリブーの知識に圧倒された。ブルックス山脈のどの谷を通ってカリブーが旅をしてゆくのか、雪の多い年はどのルートを通るのか……北極圏のすべての山々や谷がこの男の頭の中に入っているような気がした。僕がカリブーを追っていることがウォルターには嬉しそうだった。助けてくれると言った。

どこにいるのかわからないウォルターから、突然電話がかかってくるようになった。多くの場合、それはさまざまなインディアンの村からだった。

「ミチオ、すぐに来い！　カリブーの大群が近くの川を渡っているぞ！」「ウォルター、そんなこと言われたって無理だよ。ここから何百キロ離れているのさ⁉」

いつの頃からか、僕たちは会うたびにカリブーフェンスの話をするようになった。朽ち果てながら、多くのカリブーフェンスが北極圏の山の中に眠っている。あと数十年たてば跡形もなく原野の中に埋もれてゆくだろう。誰に知られることもなく消えようとするひとつの時代の歴史を何とか記録に残しておきたかった。それが僕たちの計画だった。同じ夢を共に語り合える相手を見つけた嬉しさが、僕とウォルターにはあった。

アラスカに根をおろそうと思い始めてから、僕はこの土地の過ぎ去った歴史が気になって仕方がない。その切れ目のないつながりの果てに、今、自分がアラスカで呼吸をしている。きっとウォルターも同じような思いでこの土地を見つめているのかもしれない。

そして、カリブーとの出会いは、〝間に合った〟という不思議な思いを僕に抱かせた。あと五十年、あと百年早く生まれていれば……過ぎ去った時代に想いを馳せる時、僕はいつもそんな気持ちにとらわれてきた。あらゆるものが目まぐるしいスピードで消え、伝説となってゆく。が、ふと考えてみると、アラスカ北極圏の原野を、幾千年前と変わることなくカリブーの大群が今も旅を続けている。それは驚くべきことだった。ウォルターはその世界を知る数少ない人間だった。

〝お帰り……〟と素朴な声が電話から聞こえてくると、その背後には、いつもアラスカの原野が広がっていた。

新しい人々

毎年三月、日本の子どもたちをアラスカ山脈のルース氷河に連れてゆく旅を続けている。冬の氷河上でキャンプをしながら、寒さを肌で感じながら、できればオーロラを眺めてみたい、同じオーロラでも、フェアバンクスの町から見るのと、厳しい山の中でキャンプをしながらのそれとは違う体験である。僕たちが行こうとするルース氷河の源流は、四〇〇〇～六〇〇〇メートルの高山に囲まれた岩と氷だけの無機質な世界で、夜、満天の星を見上げているだけで言葉を失う。地球とか、宇宙とか、人間とは一体何なのかを、ルース氷河の夜はシーンとした静寂の中で問いかけてくる。それはきっと世代を超えて感じとれる体験にちがいない。僕たちはそんな時間を子どもたちと共有したかった。

今年も一四人の子どもたちが日本からやって来た。マッキンレー山をのぞむタルキートナという村から、スキーをつけた小型飛行機でアラスカ山脈に入るのだ。しかし、この三月の天候は不順で、山の姿さえ見えない日々がずっと続いていた。限られた日程も押し迫り、僕たちはルース氷河を諦めて計画を変更しなければならなかった。自然が人間の行動を司るこの土地では、その場、その場で新しい状況に対応してゆかねばならない。

タルキートナでの待機も三日目となり、ブッシュパイロットのエリックが、髭もじゃのあごを撫でながら一案を考えた。「タルキートナ山脈の方角の原野に、二年前から移り住んでいる家族がいる。カリブーロッジという山小屋を経営してる人だが、客は誰もいないはずだ。えーと、去年一年間の客は三人だったと言ってたからな。でも、いい家族なんだ。そこへ子どもたちを連れていってみないか？　ルース氷河のような高山ではないから多少天候が悪くても着陸できる。すぐ無線で連絡をとってみるか……」

僕たちは大急ぎで荷物のパッキングをし、雪空のわずかな晴れ間をぬって四機のセスナで飛び発った。きっといい体験が待っている……窓に顔をつけ、わずかに陽を浴び始めた冬の原野を見おろしながらそう思った。

セスナが大きく山を回り込むと、雪原に点のように浮かぶ家が見えてきた。急いで踏み固められたらしい深雪に、セスナははまりそうになりながらも何とか着陸した。呆然《ぼうぜん》とした表情の親子三人が凍結した湖上に立っている。もう何カ月も人を見ない生活から、突然一四人の子どもたち（スタッフを含めると二一人）が現れたのだ。

まったく人気《ひとけ》のない、なだらかな雪の原野がどこまでも続いている。ルース氷河のような高山のきびしさはないが、どこかで共通した世界である。唯一の違いは、ここに親子三人が暮らしているということだ。

父親のマイク、母親のリン、そして一一歳の息子エレン。木訥《ぼくとつ》なこの家族が僕たちはすぐに好きになった。それにしても子どもとは何と不思議な生きものなのだろう。言葉さえ通じないのに、エレンと子どもたちはすでに雪の中で遊び回っている。当初の予定通り、山小屋には泊まらず、見晴らしのよい雪の稜線にテントを設営した。

電気も通じないカリフォルニアの田舎で育ったマイクとリンは、結婚をしてモンタナの山の中に移り、伐採の森の跡を片付ける仕事に長い間従事していた。それは本当に大変な仕事だったらしい。エレンは、五歳の時から両親と共に朝五時に起き一日中その仕事を手伝ったという。まだ少年のエレンがふと見せる、相手をしっかりと見つめる大人びたまなざしが、普通の子ども時代を送ってはいないことを語っていた。いつの日かアラスカに渡る夢をもち続けたマイクは、二年前、タルキートナの山中に売りにでている廃屋があることを聞く。そして遠いモンタナからやって来て、一人でこの原野に立った時、すべてのものを売り払って家族でアラスカに移り住むことをわずか一時間で決めたという。

原野の暮らしに憧れてやって来るさまざまな人々、しかし、その多くは挫折するか、わずかな期間の体験に満足してやがて帰ってしまう。この土地の自然は、歳月の中で、いつしか人間を選んでゆく。問われているものは、屈強な精神でも、肉体でも、そして高い理想でもなく、ある種の素朴さのような気がする。この家族はきっと大丈夫だろう。

僕たちは雪の中でのキャンプ生活をしながら、この家族と共に過ごすことにした。テントと山小屋は、一〇〇メートルも離れていない。子どもたちがやらなければならないキャンプ生活でのさまざまな仕事……雪を溶かして水をつくること、薪《まき》割り、炊事……それにマイク一家の生活を手伝うことも加えた。原野の暮らしは家族が力を合わせて働かなければならない。毎日湖の氷を割って丘の上の家まで水を運ぶ一一歳のエレン。その仕事を手伝いながら、日本の子どもたちは何を感じただろう。

「ニーズ《needs》（本当に必要なもの）とディザイア《desire》（欲しいもの）はずいぶん離れているものだと思う……」

父親のマイクがふともらした言葉が心に残った。ディザイアの海の中で暮らす僕たちにとって、この家族の日々そのものが新鮮だった。

ある朝、こんなことがあった。キッチンを借りて朝食をつくっている時、僕はガスの火をつけたまま何度もフライパンをレンジから外していた。それをわきでじっと見ていたエレンは、もう耐えられなくなったかのように、フライパンを外すたびにスイッチを切ってしまう。火をつけっぱなしにしていたとはいえ、わずか四〜五秒のことである。が、僕はハッとした。それは父親が原野まで運び、エレンが担いでもちあげた大切なプロパンガスだったのだ。

天気が好転する兆しはなかったが、エレンをリーダーにして、山へクロスカントリーツアーに出かけたり、雪の中で火をおこすサバイバルゲームをしたり、子どもたちとマイク一家は家族のようなつながりをもち始めていた。夜になると、マイクは子どもたちに原野の暮らしのさまざまなエピソードを話してくれた。そして彼らもたくさんの質問をした。

「こんなに人里離れた所で淋しくないのですか？」

「エレンの学校はどうしているの？」

「もっと便利な暮らしをしたいとは思いませんか？」

子どもたちにとって、マイク一家の存在そのものがショックだったのだろう。そして同じような年頃のエレンを通して、よけいに自分自身と重ね合わせることができるのかもしれない。

ある時、僕はエレンにこんな質問をした。

「アラスカに移ってからの二年間で、一番びっくりしたことは何？」

「そうだなあ……うん、二つある。ひとつは、去年の夏、家のすぐ前でグリズリーに出会ったこと。じっと家の中をのぞいていたんだ……もうひとつはね、四日前、みんながここにやって来たことだよ」

僕たちが帰る前日から、エレンは急にだまりこくってしまった。あれほど皆とはしゃいでいたのに、疲れてしまったのか、僕たちが去ってしまう淋しさなのか、それとも日本の子どもたちとのあまりのギャップにショックを感じたからなのだろうか。

決して裕福ではないこの家族が与えてくれた精一杯の暖かいもてなしを、子どもたちは忘れないだろう。これからマイク一家がどんな物語をアラスカでつくりあげてゆくのか、そしていつかエレンが青年となり、原野の暮らしを出て、どんなふうに世界と関わってゆくのかを僕は見てゆきたいと思った。

出発の前、マイクに心ばかりの謝礼を払い、子どもたちをガイドしてくれたエレンにもわずかな小づかいを渡した。エレンはそのお金をポケットにしまってから、何度も手を入れては握りしめていたらしい。

さまざまな人間が、それぞれの物語をもち、ある日アラスカにやって来る。僕たちはオーロラを見ることはできなかったが、これからアラスカの原野で生きてゆこうとするたくましいひとつの家族に出会うことができた。それは子どもたちの心の中に、オーロラに負けないくらいの不思議さと輝きを残してくれたような気がする。

遥かなる足音

アラスカ北極圏に春の兆しがあらわれる六月、カリブーの撮影のため、毎年必ず入るブルックス山脈の谷がある。そこからジェゴリバーという川が北極平原に流れ込んでいる。この十三年間、そこで人に出会ったことは一度もない。最も近いエスキモーの村は、ブルックス山脈を越え、二〇〇キロも離れている。カリブーの群れは、毎年、必ず、その谷を通り過ぎてゆく。その無名の谷は、アラスカで私が一番好きな場所かもしれない。そこにいると、気の遠くなるような風景が自分を小さくさせるのとは裏腹に、すべてのものが私に属しているような気がしてくる……なんでもない苔むした岩、ツンドラに盛りあがる小さな丘、谷を吹き抜ける極北の風……釣り師が大切な秘密の川をもつように、私もまた、その谷に同じ想いをもっている。

カリブーは、極北の放浪者。ある日、ツンドラの彼方から現れ、風のようにツンドラの彼方へ去ってゆく。その行方を、誰も追うことができない。

アラスカに移り住んで二年目の春、私は初めてカリブーの季節移動をこの谷で見た。見渡すかぎりの白い雪原を、一本の長い線となって行進するカリブーの大群。その時私は、野生動物の本当の姿を生まれて初めて垣間見たような気がした。それはカリブーの壮観に圧倒されたからではなく、ひたすら北へ進もうとするカリブーの意志と、それを見ている人間がこの世界に自分以外誰もいないという不思議さからきたのだろう。この土地の広さを、私はその時初めて実感した。人間と関わりのない世界がもつ、生き生きとした空間の広がりにうたれていた。その体験は、アラスカという土地が私をとらえてゆく最初のきっかけとなったと思う。そういえば、初めてオオカミを見たのもこの谷だった。

ベースキャンプから、北極平原が一望に見渡せた。春の訪れが世界を急速に変えてゆく様は、いつも私を魅了した。雪原のあちこちに黒い土が見え始め、ある日突然、半年の間凍りついていた川が怒濤のごとく動き出す。そして、いつのまにか南からやってきたライチョウ、ムナグロ、たくさんのシギ、チドリたちのさえずり……わずか十日前まで静まりかえっていたツンドラが、今は息を吹きかえしたように華やいでいる。

川沿いの土手を散歩すると、ワイルドクロッカスの花が毎年顔をだす場所があった。春一番に咲く薄紫色のその花が、私は好きだ。その場所でその花を確かめると、なぜかホッとした。一カ月も一人で過ごすキャンプ生活で、そんな小さなことが気持ちを和ませた。

カリブーの旅が限りない不思議さを与えてくれるように、その花もまた同じ想いを私に抱かせた。誰も見てはいないのに、毎年春になると、地の果てのようなその谷で、その花はつぼみを開かせる……自然とはそういうものだとわかっていても、私はそのことがおもしろく、やはり不思議だった。

五年前、アラスカで死んだ友人のカメラマンの灰を、一本のトウヒの木の下に仲間で埋めたことがある。そこはマッキンレー山に近い、イグルーバレイと呼ばれる谷だった。灰を埋めた小さな丘から、トウヒの森が見渡せた。彼が一番好きな場所だった。

この世に生きるすべてのものは、いつか土に帰り、また旅が始まる。有機物と無機物、生きるものと死すものとの境は、一体どこにあるのだろう。

いつの日か自分の肉体が滅びた時、私もまた、好きだった場所で土に帰りたいと思う。ツンドラの植物にわずかな養分を与え、極北の小さな花を咲かせ、毎年春になれば、カリブーの足音が遠い彼方から聞こえてくる……そんなことを、私は時々考えることがある。

めぐる季《とき》の移ろい

ある事情でハワイに移り住んだ友人に、〝アラスカを離れて一番恋しいものは何か〟と聞いたことがある。彼は迷わず答えたものだ。「季節だよ、この土地には季節がないからね」と。

人は、めぐる季節で時の流れを知る。心に区切りをつけることができる。北国の季節の移ろいは美しい。そしてアラスカは、北国というより極北という世界に入るのだろう。私は、この土地のそれぞれの季節にひかれている。が、とりわけ秋の見事さにはただ言葉がない。

八月も終わりになると、アラスカの原野は、ゆっくりとツンドラの紅いじゅうたんに敷きつめられてゆく。さまざまな植物が、それぞれの紅葉を進めながら、日に日に原野の色を深めてゆく様は、まるで自然のオーケストラ。あるぐっと冷えこんだ日、わずか半日で紅葉が変化してゆく早さに驚かされるだろう。

アスペンやシラカバは黄葉し、その中で、黒いトウヒの針葉樹とが織りなすモザイクの美しさ。そして木立ちから匂ってくる、こうばしいハイブッシュクランベリーの秋の香り。すっかり熟したブルーベリーの実は、今はただ摘まれるのを待つばかりだ。

秋の訪れは、忙しかった夏の生活にゆっくりとブレーキをかけ始める。そう、人々は、夏の間走り過ぎてしまったのだ。日照時間は次第に短くなり、気温もどんどん下がり始めている。去りゆく夏は名残り惜しい。けれども、少しずつきびしくなる自然が、私たちを穏やかな気持ちに満たしてゆくのはなぜだろう。それは、どこか雨の日に家で過ごさねばならない伸びやかさに似ている。冬がもたらす気持ちの安らぎも、きっとそういうことなのだろう。

そしてある日、初雪は突然やってくる。昨日まで、アスペンやシラカバの落ち葉を踏みしめていたのが、もうずっと昔のような気がしてくる。それにしても、この初雪のうれしさは何だろう。

人の気持ちは、めぐる季節の移ろいに立て直されてゆく。やがて来る季節が、マイナス五〇度まで下がる暗黒の冬でさえ、人々はどこかその新しい季節に希望を託すのだろう。

悠久の自然

人間と自然との関わりって何なのだろうと考える時、一〇代の頃抱いた不思議な感覚を今でも思いだす。それは現在の僕のものの感じ方、考え方のベースにどこかで関わっているような気がしてならない。

あの頃、北海道の自然に憧れていた。アラスカどころではなく、当時の僕にとって北海道さえ遠い世界だった。北海道に関するさまざまな本を読みあさっていた。

いつしかあることが気にかかり始めた。それはヒグマのことだった。自分が生きている同じ国で、ヒグマが同時に生きていることが不思議でならなかった。もうすこし詳しく言うと、例えば満員電車に揺られながら学校に向かう途中、東京の雑踏を歩いている時、ふとそのことが頭に浮かんでくるのである。今、この瞬間、ヒグマが原野を歩いているのかと……。

よく考えれば、あたりまえの話である。北海道にはまだたくさんの自然が残っているのだから。だが、その時はそんなふうには思えなかった。自然とは、世界とは面白いものだと思った。それを今言葉にすると、すべてのものに平等に同じ時間が流れている不思議さだったのだろう。

　数年前、同じようなことを言った友人がいた。東京で忙しい編集者生活を送る彼は、何とか仕事のやりくりをしてアラスカの僕の旅に参加することになった。それは南東アラスカの海でクジラを追う旅だった。わずか一週間の休暇であったが、幸運にも彼はクジラと出会うことができた。ある日の夕暮れ、ボートの近くに現れた一頭の巨大なザトウクジラが突然空中に舞い上がったのだった。クジラの行動が何を意味するのかはわからないが、それは言葉を失う、圧倒的な一瞬だった。

　その時、彼はこう言った。「仕事は忙しかったけれど、本当にアラスカに来てよかった。なぜかって？　東京で忙しい日々を送っているその時、アラスカの海でクジラが飛び上がっているかもしれない。そのことを知れただけでよかったんだ」

　僕には彼の気持ちが痛いほどよくわかった。日々の暮らしに追われている時、もうひとつの別の時間が流れている。それを悠久の自然と言っても良いだろう。そのことを知ることができたなら、いや想像でも心の片隅に意識することができたなら、それは生きてゆくうえでひとつの力になるような気がするのだ。

　人間にとって、きっとふたつの大切な自然があるのだろう。ひとつは、日々の暮らしの中で関わる身近な自然である。それは道ばたの草花であったり、近くの川の流れであったりする。そしてもうひとつは、日々の暮らしと関わらない遥か遠い自然である。そこに行く必要はない。が、そこに在ると思えるだけで心が豊かになる自然である。それは僕たちに想像力という豊かさを与えてくれるからだと思う。
クジラを見た僕の友人は、今どんな忙しい日々を送っているだろうか。

冬

「もうそろそろだね、何だか匂いがするよ」

「あっという間にやって来るさ。いつだってこっちの気持ちの準備ができる前にね」

そう、アラスカの冬はいつもある日突然やって来る。昨日までシラカバやアスペンの落ち葉を踏みしめていたのが、もう遠い昔のような気がする。それにしても、いつも感じるこの初雪のうれしさは何だろう。これから長く暗い冬が始まるというのに、空から落ちてくる無数の雪片にただ見惚《みと》れている。あれほど夏の光を惜しんでいたというのに、もうすっかり気持ちは冬に向かっている。この土地の、季節の変わる瞬間が僕は好きだ。

〝アラスカの四季で一番好きな季節はいつですか〟と聞かれたなら、僕はさんざん迷ったあげくに、やっぱり冬と答えるだろう。この土地に生きる多くの人々も、きっと同じ想いではないだろうか。

マイナス五〇度の寒気、雪に閉じ込められた長い日々、日照時間の短さ……トランプでいえば負のカードばかりそろってしまったのに、どうして？　と人は首をかしげるかもしれない。説明しようと思っても、それに対する切り札があるわけではない。しいて言えば、僕は冬のカードそのものが好きなのだ。

マイナス五〇度まで下がった朝の、キラキラと宝石のように輝く大気の美しさを想像できるだろうか。身も引き締まるような冷気に嗅ぐ、まじり気のない透きとおった冬の匂い。心を浄化させてゆくような力を、この季節はもっているのかもしれない。

いつか友人が、この土地の暮らしについてこんなふうに言っていた。

〝寒さが人の気持ちを暖かくする。遠く離れていることが、人と人の心を近づけるんだ〟と。

マイナス五〇度の寒気の中で、チュルチュルとさえずりながら、一羽のコガラが目の前を飛び去っていった姿を鮮烈に覚えている。わずか一〇センチほどのからだで、どうやって命の灯を燃やし続けることができるのだろう。きびしい季節の中で、ひたむきに生きているこの土地の生き物たちの姿が僕は好きだ。寒さは、人間にさえ、生物としての緊張感を与えているような気がする。

雪に閉じ込められた暮らしはどうだろう。太陽が沈まないアラスカの夏、人々はずっと忙しく働き続けてきた。夜のない暮らしはすばらしかったけれど、夏の終わりには、人々はもう長い一日に疲れている。夜の暗さが無性に恋しいのだ。季節が秋から冬に移ってゆくにつれ、自然は人々の暮らしにブレーキをかけてゆく。まるで私たちの気持ちをわかってくれていたように。その不思議な心地良さは、子どもの頃、雨の日に家の中で過ごすうれしさに似ている。雪に閉じ込められる日々は、人々の心にある静けさを取り戻させるのだろう。

「久しぶりだねえ、いい夏を過ごした？」

「週末に遊びにおいでよ、ゆっくりと夏の話でもしようじゃないか」

夏の間、散り散りだった人々の暮らしが、少しずつ落ち着きを取り戻しながら日常へと返ってくる。冬は、人と人がゆっくりと話をする季節なのかもしれない。

日照時間の短さは、冬の季節がもつ負のカードの中でも一番つらいものに感じるだろう。冬至の頃になれば、日の出は午前十一時過ぎ、日の入りは午後二時前と、昼間の時間はほとんどなくなってしまう。なぜなら、地平線に描かれる小さな太陽の弧は、朝陽がそのまま夕陽なのだから。さらに北のアラスカ北極圏に暮らす人々には、太陽がまったく顔を出さない日々が続いてゆく。

しかし、そんな暗い冬にさえ人々は光を見出してゆく。新月の夜、わずかな月光はすでに雪面に物の影を映しだしている。そして満月の夜の、雪の世界の明るさを想像できるだろうか。月明かりの下、人々は犬ゾリを走らせ、クロスカントリースキーで雪原を駆けることができる。

そしてもうひとつの冬の光、オーロラ。アラスカで暮らす人々にとって、オーロラは決して珍しいものではない。が、冬の夜、家路に向かうとき、原野を旅しているとき、人々はその不思議な光にふと足を止め、やはりじっと見入ってしまうだろう。

オーロラは、長く暗い極北の冬に生きる人々の心をなぐさめ、あたためてくれる。

やがて冬至が過ぎ、太陽の描く弧が少しずつ広がり始めると、人々の気持ちに小さなあかりが灯る。本当の冬はまだまだこれからなのに、日増しに春をたぐりよせる実感をもつからだろう。

アラスカのめぐる季節。そしてその半分を占める、冬。だが、この冬があるからこそ、かすかな春の訪れに感謝し、あふれるような夏の光をしっかり受け止め、つかのまの美しい秋を惜しむことができる。

春の訪れ

アラスカを旅するようになってからもう十五年になるが、花を撮ろうと真剣に思い始めたのはこの一～二年である。これまではいつも大きな対象物に目を奪われてきてしまった。

グリズリー、オオカミ、カリブー、ムース、ザトウクジラ……いや、野生動物だけではない。この土地を覆う氷河の流れ、果てしなく広がる北のツンドラ、南アラスカの深い原生林、冬の夜空を舞うオーロラ……アラスカの自然は私にとっていつも大きなものとしての存在だった。

しかし、ちょっと立ち止まり、自分の視線をぐっと下げ、アラスカの大地から数十センチまで目を近づけてみると、どうして今まで気付かなかったのだろうと思うほど、この土地の植物の世界はすばらしい。そして彼らがどうやって生きのびているのかを知れば知るほど、まったく新しい世界を発見したような喜びで、私自身のフィールドが大きく広がりつつあることを感じている。

この土地の花々は南の世界の鮮やかなそれとは対照的で、質素で可憐である。シーズンも短く、約二カ月の間に、植物は生長、開花の営みを急いで仕上げなければならない。このようなきびしい自然環境の中で、アラスカの植物たちはさまざまな適応を遂げている。

たとえば、クッションに花をちりばめたようなマンテマの類は、多年生植物であって、種子が地に落ちてから最初の花を咲かせるまでに十年もかかってしまう。乾燥した風の中で、この植物は少しでも多くの水分を地中から吸収しなければならない。その種子は内部のエネルギーによって芽を出すことができるが、その後この植物のエネルギーは根を大きく発達させることに使われる。そのために花が咲くまでにそれほど長い時間がかかってしまうのだ。

コケのような種類は、その葉の表面がろうのように硬くて、水分の蒸散をできるかぎり食い止めている。私の好きなツンドラの花、ケブカシオガマなどは、茎やつぼみの表面を毛の断熱材でおおって保温につとめている。保温用マットの中で生育し、開花するコケナデシコは、植物体の温度は周囲の気温より約二〇度も高いらしい。

極地の植物はこうした種々の適応手段のおかげで、付近全体よりは快適な微気候をつくり上げているわけだ。これまで見過ごしてきたアラスカの小さな世界を知るほど、自然の秘めているしたたかさに驚かされてしまう。極北の植物の魅力は、一見弱そうな姿の中にあるたくましさなのかもしれない。アラスカのミクロの世界はじつに壮大だ。

これからの撮影活動は花に向けられる比重が大きくなってゆくだろう。これまで行ったさまざまな場所を、花を求めてもう一度訪れなければならないだろう。そして多くの花を撮るだけでなく、ひとつの花の移り変わりもていねいに追ってみたい。

たとえば、ヤナギラン。この花の様相で季節のありかを知るほどその変幻は見事である。綿毛となって風に運ばれてゆく秋になると、これが夏を色どったあのヤナギランかと思うほど変わり尽くしている。

ブルーベリーの花を知っているだろうか。実が熟す秋にしか目を止めないこの植物も、夏には見過ごしてしまうほどの小さな可愛らしい花をつける。そして、花にまつわるさまざまな物語も追ってみたい。ある年の夏の日、北極圏のツンドラでカリブーの大群が私のベースキャンプを通り過ぎていったときのことだった。私のテントのまわりは一面、極地の花が咲き乱れていた。そこへ一万頭に近いカリブーの群れがやって来たのは夜だった。無数の足音が和音となって何時間もあたりに響きつづけていた。朝になって、びっくりしてしまった。見渡す限りの花がほとんど食べ尽くされているのである。花が消えてしまった淋しさ以上に、私は感動していた。

花に目を向け始めると、この土地の人々の暮らしの中でいかに花が大きな位置を占めているかを再発見する。短い夏の季節にアラスカを訪れてみるとそれがわかるだろう。それぞれの家のまわりが、なんとも精いっぱいに花で飾られているのだ。長い冬があるからこそ、人々はこの花の季節を愛《め》でるように大切にするのだろう。そんな人々の暮らしと花の関わりもこれからは撮ってゆきたいと思う。

昨年結婚をして、私の妻が花の世界に身を置いていたこともアラスカの花に対する興味に拍車をかけたかもしれない。とりわけ彼女にとっては、アラスカの自然との出会いは大きかったようである。それは、野の花との出会いでもあった。

アラスカは今、三月。まだまだ雪深い。が、少しずつ日照時間も伸び、春が近い。あと一カ月もすれば、半年ぶりに土の匂いを嗅ぐだろう。この夏にはひとつの夢がある。庭を一面にアラスカの野の花でおおいたいのだ。ワスレナグサ、ヤナギラン、アークティックポピー……。雪景色を眺めながら、ふとそのことを考えるだけで嬉しくなってくる。

可憐な花

私の妻がアラスカに来てから、やっと一年が過ぎた。日本からアラスカへの生活の変化は言葉に言い尽くせない。まだ英語もちゃんと話せはしないが、少しずつ生活にも慣れてきたようである。

とりわけ花が好きな彼女は、私と一緒に撮影に出かける先々で、わずか一年の間にたくさんの花と出会ってきた。アラスカの原野に咲く、可憐で、小さな極北の花々にすっかり魅せられたらしい。そして、冬が長い北の暮らしで、短い夏の季節に咲く花々が、どれだけ人々の心に安らぎを与えるのかも感じとったようである。もしこの土地に冬がなければ、もし一年中花が咲いているとしたら、人々はこれほど強い花への想いをもちえないだろう。

私も彼女の影響があってか、少しずつアラスカの花を見つめ直し、撮影にも取り組み始めている。

昨年の夏は、花の撮影だけのために、ベーリング海の孤島アリューシャンへ出かけた。アリューシャン列島は木もなく、絶えず冷たい風が吹きすさぶ、自然条件がきびしい土地であるが、そこで見た花の群生はすばらしかった。酷な自然の中で咲く花の美しさは、暖かく光に満ちた世界のそれとは一線を画している。都会に暮らし、花屋さんの花を見続けてきた彼女には、少なからずショックだったようだ。

とりわけ、そこで見たワスレナグサの姿は忘れられない。私たちは、アリューシャンの島々で咲くワスレナグサが、アラスカ本土のものとどこが違うのか、ずっとその花を捜していた。島の人に聞いて、山のガレ場にも登ったが、どうしても見つからない。そして、ふと腰をかがめた時、ワスレナグサはすぐ足元に咲いていたのである。見つからないはずである。それは私たちの知っている風に揺れるワスレナグサではなく、岩の陰にはいつくばるように咲く、見過ごしてしまいそうな小さな花だった。

フェアバンクスの日々の暮らしでも、花は私たちにとって大切な生活の一部となり始めている。夏の間、庭の花畑をいかに手入れしてゆくか……日本ではいつも買ってきた花を活けていた彼女は、種から育てることに興味をもち始めていた。

花を仲介にした人とのつながりも少しずつ広がってきている。とりわけ、英語の家庭教師に時々来てくれる友人のスーは、町のグリーンハウスで働く花のスペシャリストでもあり、妻の良き相談相手でもある。スーは私と同じ年（四二歳）のまだ独身の女性であるが、水も電気もない小屋で実にシンプルな暮らしをしている。グリーンハウスで働くだけでなく、子どもたちに自然教室を開いたり、週三回の町の市場（自分の家で育てた新鮮な野菜、花を売る）に小さな出店を出したり、さまざまなことをしている。花を通して、そういった人々の生き方に接することが、妻にとっては何よりの恵みのような気がする。

　この秋は、我が家でちょっとした大きな発見があった。

　庭の奥は小さな森になっているのだが、そこでクランベリーの実を見つけたのである。どうして今まで気がつかなかったのだろう。私たちはさっそくその赤い実を摘み、クランベリーブレッドを焼いた。人間の気持ちとは不思議なもので、その森が急に私たちに近くなった気がするのである。狩猟であれ、木の実の採集であれ、人はその土地に深く関わるほど、そこに生きる他者の生命を、自分自身の中にとり込みたくなるのだろう。

　そうすることで、よりその土地に属してゆく気がするのだろう。この行為をやめたとき、人の心はその自然から離れてゆくのかもしれない。花を育てたり、野菜を作ったりすることも、それはどこかで共通する人間の行為なのだろう。

　今はもう十月。太陽の沈まない、光り輝く花の季節は遠くへ去り、美しい秋色もすっかり色あせた。が、それを悲しむのはまだ早い。風に舞う落葉を眺め、カサカサと枯れ葉を踏みしめる、不思議に穏やかな時間がまだそこにある。満ち潮が押し寄せ、再び引いてゆく前の、海の静けさのような時。人の一生にも、そんな季節があるだろうか。花を眺め、木々を眺めて一年を過ごしていると、季節の移り変わりは何と人の一生と重なっているものなのかと思う。

　妻はあと一カ月で、初めて母親になる。それは自然に対する感じ方を変えてゆく出来事なのだろうか。冬が終わり、また春が来て、再び出会う花は、どんなふうに違って見えるものなのだろうか。

昨夜、すばらしいオーロラが夜空を舞った。十時頃から北の空に現れた青白い炎は、やがて全天に広がり、明け方近くまで空を駆けめぐった後、しらじらと夜が明けてゆく中に消えていった。もう冬がすぐそこまで来ている。

シトカ

南東アラスカの町、シトカは、森と氷河に囲まれ、いつもしっとりと、雨に濡れた夢のように美しい町である。フィヨルドの入江には時おりザトウクジラが現れ、のんびりと潮を吹いている姿が小さな町の通りからさえ眺めることができる。いつか住んでみたい町はシトカだろうな、と、多くのアラスカの人々が語るのを覚えている。

八月のある日、ふとシトカを訪ねた。ザトウクジラを追いながら、南東アラスカの海を旅していて、十年ぶりに立ち寄ってみようと思ったのだ。友人から紹介されていたシトカに住むある女性に会う目的もあった。

メアリーというその人は、この土地のインディアンから薬草の知識を学んでいるという。南東アラスカは、トーテムポールの民、クリンギットインディアンの世界でもある。時代は変わったが、今でもそれぞれの家系は昔からの血すじを通してはっきりと分かれている。クマ、ワシ、オオカミ、クジラ、ワタリガラス、サケ、カエル……。

メアリーは二人のインディアンの老婆と一緒に現れた。ちょうどこれから、森へデビルスクラブの茎を摘みにゆくという。その植物はハリブキとも呼ばれ、葉の裏にたくさんのトゲをもち、森の中を歩く時には一番やっかいな代物である。が、それは人々にとって最も大切な薬草のひとつであった。

「えーと、おばあちゃんの家系は何に属しているんだっけ？」

メアリーは二人の老婆を紹介してくれた後、思いついたように聞いている。

「私はクマよ……」

「私はワタリガラス……」

小さな声ではあったが、インディアンの老婆はあたりまえのように答えている。

足場の悪いうっそうとした森の中へ、私たちは老婆の手を引きながら入っていった。デビルスクラブはすぐに見つかり、もう慣れているのか、彼女らは手際よく作業を始めていった。メアリーが茎を切り、老婆たちがその皮をはいで、みるみるうちに持ってきたバケツは一杯になった。

「彼女はね、五年前にガンをわずらって医者に見放されていたの、もう一年も生きられないって」

メアリーは作業の手を休めずに、一人の老婆のことを話し始めた。

「それから彼女は、医者に隠れて、ずっとデビルスクラブの薬草を飲んでいたの。病院の医者たちは奇跡だと言って、首をかしげていたらしいわ。でも彼女は最後まで薬草のことは話さなかったのよ。なぜだかわかる？……もうずっと昔から、そう子どもの頃から彼女たちは親から教えられてきたの。白人に大切なことを話してはいけないって……

宗教（シャーマニズム）も、言語も、歴史の中でみんな取りあげられてきたからでしょうね」

メアリーがこの土地の薬草に興味をもったきっかけは、彼女が初めてアラスカに来た時に出会った一人のインディアンの老婆だったという。その老婆は驚くべき知識をもっていて、彼女が死ぬまでに、メアリーはそのほとんどの薬草の秘密を受け継いだらしい。

「今でもそのおばあさんから言われたことを覚えている……どんな植物も何かの力をもっている。もしその力を得たければ、心を静かにして近づいてゆくこと……」

メアリーはガンをわずらった老婆の話を続けた。

「彼女は子どもの頃、お父さんから聞いた話を信じているの。それはね、父親がある日、森に狩りに行ったとき傷ついたクマが、デビルスクラブを傷口に当てていたという話……」

私は、メアリーに紹介された、インディアンの家族が経営するベッド・アンド・ブレックファスト（民宿）に泊まることになった。嫁に行った娘がちょうど里帰りをしていて、その夜は親戚や近所の人たちも招いた夕食会となった。私は、自然の中で堂々と生きた老人たちの、陽にやけた、自信に満ちた顔を見つめていた。

その日に海で獲った二〇キロにも及ぶキングサーモンに舌つづみをうちながら、人々は何か素朴な夕べを楽しんでいた。子どもたちが、つい先月シトカの海で起きた出来事を話していた。

なんでも、ある日、小さなボートで海に漁に出た男が、山のようなクジラに出会ったという。男は何とかクジラを避けようと思ったが、いつのまにかボートの下から現れ、尾ビレでボートごとはたかれたらしい。空中に飛ばされた男は、何とそのままクジラの背中に落ち、しばらく一緒に泳いでいたという。「その話は本当ですか？」と私が聞くと、新聞にも載っていたという。何かおとぎ話のようではないか。

が、老人たちはそんな話を聞きながらも、別に口をはさむわけでもなく、穏やかな顔で、じっと窓から海を見つめている。そんなことは昔からあったのだよ、とでも言うように……。


わずか数日のシトカの旅だったが、何だかのんびりとした気持ちに満たされていた。森も、氷河も、クジラも、太古の昔と何も変わっていない。そんな風景が、この土地で暮らす人々の精神世界にも不思議な風を送りこんでいるような気もした。

シトカは、いつの日か住んでみたい、憧れの町である。

アラスカの夏

私が暮らすフェアバンクスでは、毎週水曜日と土曜日に市がたつ。市民の人々が自分で育てた花や野菜を売ることができるのだ。

アラスカで花や野菜が育つのか……と驚く人もいるだろうが、野菜に関しては、実際育ち過ぎて困ってしまうほどだ。なぜなら、今は白夜《びゃくや》の季節。アラスカの夏は暖かいだけでなく、一日中ほとんど太陽は沈まない。アラスカの絵葉書の中に、一メートルもあるオバケキャベツの写真がよく入っているのは、もちろんそういうわけである。

我が家の庭も、夏になるとさまざまな花々が順ぐりに咲き乱れるが、去年から妻がベランダの木箱の中でレタスやイチゴなどもつくり始めた。レタスなどは毎日毎日せっせと食べ続けなければ追いつかないほど生長が早い。

七月のある日、最初のイチゴ事件が起きた。やっと熟し始めたイチゴを、もう一日だけ待って摘もうとした朝に、何者かによってすでに摘まれてしまったのである。妻の落胆は想像にあまる。犯人（?）が残した唯一の状況証拠は、一個のキノコである。まるでイチゴをかすめた罪ほろぼしをするかのように、木箱の横にそっと置かれているのだ。妻はまだ熟していない他のイチゴの実に望みを託したが、明日には食べようと楽しみに待っていた朝、事件は再び起きた。そして何ということだろう。現場にはまた一個のキノコが置かれていたのだ。

そんなことが四、五回続いただろうか。そのたびに必ず申し訳なさそうにキノコが残されているのである。妻は、明日には摘もうという、自分の気持ちが読まれているようだと言って嘆く。

ある日、妻は、イチゴをくわえて犯人が走り去る現場を目撃した。それは我が家の森に住むアカリスだった。キノコを摘んで巣に戻ろうとするたびに、おいしそうなイチゴに目が眩《くら》んで取り換えていっただけなのだろう。私は、妻がそうであるように、イチゴが熟すのをじっと楽しみに待っているアカリスの姿を想像し、何だかおかしくてならなかった。

長く、きびしい冬があるというのはいいことだ。もし冬がなければ、春の訪れや、太陽の沈まぬ夏、そして美しい極北の秋にこれほど感謝することはできないだろう。もし一年中花が咲いているなら、人々はこれほど強い花に対する想いをもてないだろう。雪どけと共にいっせいに花が咲き始めるのは、長い冬の間、植物たちは雪の下ですっかり準備をととのえていたからではないか。そして人の心もまた、暗黒の冬に、花々への想いをたっぷりと募らせているような気がする。

めぐりくる季節で、ただ無窮《むきゅう》の彼方へ流れゆく時に、私たちはふと立ち止まることができる。その季節の色に、私たちはたった一回の生命《いのち》を生きていることを教えられるのだ。

冬を過ごした後の豊かな自然の恵みへの強烈な想い……そしてアカリスもまた、私たちと同じように長い冬を越したのだ。

Ⅱ

1　オーロラのダンス

冬の凍《い》てつく夜空に、音もなく、生き物のように舞う冷たい炎……オーロラは、それを見る者を、日々の暮らしからしばし立ち止まらせる。

そしてまた、こんなふうにも思う。果たして人は、オーロラを見上げ、その輝きにうたれるのか。

アラスカに移り住んだ最初の秋だった。私はある鳥類学者と北極海の海鳥の調査に出かけていた。ある晩のこと、テントから顔を出すと、一条の光が北の夜空にゆらめいている。予期もしないその青白い光から、私は目を離すことができなかった。この土地で新しい旅が始まろうとしている。未知の世界へのさまざまな夢と不安があった。初めて見るオーロラの光は、その思いに、何か暗示を与えているような気がしてならなかった。

一九一四年、アーネスト・シャクルトンを隊長としてノルウェーを出航した南極探検船エンデュアランス号は、途中、乱氷にはさまれ座礁する。シャクルトンと二八人の隊員が、それからの半年間、南極海を小さなボートで漂流しながら生還するまでのすさまじい旅の記録を読んだ。絶望的な状況で、彼らは極地の暗黒の冬を越す。その日記の中に、ある晩オーロラが現れ、全天を舞うシーンがある。おそらく生きては戻れない運命の中、彼らはどんな思いでその光を見つめていたのだろう。〝人間に不可能なことを成し遂げさせる、何ものかに感謝を捧げて〟。この本の第一頁は、その言葉で飾られていた。

冬のアラスカハイウェイでの出来事。突然現れたムースを避けようとして、車を道から深雪の中へ落としてしまったことがある。マイナス四〇度まで下がった夜だった。天空に、薄いオーロラが舞っていた。一台のトラックが止まり、手を貸してくれる。雪まみれになりながらの作業中、その男は、〝子どもが生まれるんだ〟と何度もつぶやいていた。奥さんが入院するフェアバンクスの病院から電話が入り、真夜中のハイウェイを飛ばしてきたらしい。車をやっと引き上げると、顔を輝かせながら、再びフェアバンクスに向けて走っていった。新しい自分の生命《いのち》が生まれようとしている夜、その男は、オーロラの光に何を見ていただろう。

人はいつも無意識のうちに、自分の心を通して風景を見る。オーロラの不思議な光が語りかけてくるものは、それを見つめる者の、内なる心の風景の中にあるのだろう。

2 流氷の囁き

四月、半年の間凍りついていた大地を太陽がどんどん溶かし、春は駆け足で近づいてくる。人々は、日々の暮らしの中で、それぞれの春の訪れを思う。

毎日の天気予報の最後に付け加えられる、今日の日照時間。昨日に比べてどれだけ延びたのか。わかっているのに、毎日そのアナウンスに耳を傾け、ホッとする。冬至の翌日から始まる、人々の冬の楽しみのひとつなのだ。アラスカの冬を越す大変さは、その寒さではなく、あまりにも短い日照時間である。だからこそ、延びてゆく日の長さを知り、一日一日春をたぐりよせる実感をもつ。

アラスカ北極圏の原野で、エスキモーの友人と、冬眠から覚めるクマを待った春のこと。その日も、巣穴近くでゴロゴロ過ごしていた僕たちは、いつのまにか雪の上で寝てしまった。何とものんきな話である。ざらめ雪の冷たささえ心地良い、早春の暖かい午後だった。一時間もたったろうか。ふと目覚めると、雪面から、黒い二つの耳がのぞいている。あれっ、と思う間もなく続いてまた二つの耳が現れた。親子グマだった。一頭が、伸びをするようにあたりを見回すと、ゆっくりとはいあがってくる。何日もこの瞬間を待っていたのに、いざ現実となると、僕はびっくりしてしまった。それにしても、これほど春の訪れを告げる風景を見たことがない。

　アラスカにいつ春が来るのかを賭けるお祭りがある。半年の間凍りついていた川が、いつ動きだすのかを、アラスカ中で賭けるのだ。凍結した川の中央部に建てられた大きな三脚からロープをひき、その先を川岸の時計につなぐ。春、川の氷が動きだすと、そのロープがひっぱられ、時計が止まるしかけなのだ。ブレイクアップ（川開き）の瞬間は、実に見事だ。何の前ぶれもなく、冬の間眠り続けていた川が、ボーンという音と共に無数の巨大な氷塊と化し、いっせいに動きだす。つまり、その春を告げる音が、何月何日何時何分何秒に聞こえるのかを、アラスカ中で賭けるのだ。一番近かったものが全額もらえる一人一〇ドルのささやかなギャンブルとはいえ、当たればでかい、アラスカの壮大な賭けである。人々はそれほど春が待ち遠しい。

　写真は、流氷の北極海から、アラスカを南に見ている。自然がつくりあげた、極北の大地の、春のシュールレアリスムの世界である。

3　ザトウクジラの優雅な舞い

夕暮れの空の淡いピンクが海に溶け込み、あたりは不可思議な一色の世界に包まれてきた。その中を一頭のザトウクジラがゆっくりと進んでいる。海は凪《な》ぎ、動くものは他になく、聞こえるのはクジラの呼吸音だけ……風景は、この一頭のクジラのために用意された舞台のようだった。

突然、スローモーションのようにクジラは飛びあがり、その全身が宙に舞った。そして地球の重力に身を任せたまま再び海面に落ちていった。海は爆発し、あたりのしじまは破れた。しかしクジラは何もなかったように進み続け、風景さえ元の静けさをすぐに取り戻している。

後に残されたものは、それを見つめる人間の乏しい想像力だけ。〝クジラはなぜ海から出て宙に舞うのだろう〟という、永久に答の出ない問い。これまで語り尽くされた、さまざまな動物行動学的な解釈。けれども、行為の前に目的がある必要はないのだ。ただ何となく、飛び上がってみたかったのかもしれない。ただ何となく、風を感じてみたかったのかもしれない。

一緒にこのシーンを見ていた、ニューヨークから来たある女性編集者が言った。

「ここに来て良かった。自分が都会で忙しい日々を過ごしている同じ瞬間、アラスカの海でクジラが飛び上がっている……そのことを知っただけでも良かった」

一〇代の頃、北海道のヒグマに同じような思いをもったことがある。自分が東京で暮らしているこの瞬間に、同じ日本のどこかでヒグマが呼吸をしている。そのことがとても不思議でならなかった頃があった。考えてみればあたりまえのことなのに、まだ子どもだった僕にとって、それは世界からのひとつの呼びかけだったのだろう。そしてそのことが、自然を意識する、最初のきっかけとなった。

目の前を進むクジラは、やがて尾びれを見せながら、海の中に沈んでいった。最後の残照も次第に力を失い、不可思議な世界はやがて消えていった。姿は見えなくても、夜の海のどこかに、確実にクジラがいることを想像できた。いつしか風景も闇の中に沈み、天上に星がまたたきだした。

どこにいようと、すべてのものに平等に同じ時が流れている。その事実は、考えてみると、限りなく深遠なことのような気がしてくる。

4　山河にこだまするカリブーの歌

小型飛行機のプロペラ音が好きだった。日本にいる時でさえ、空にセスナの姿を見つけると、その音に耳を傾けた。僕にとって、それは懐かしいアラスカの音。長いキャンプ生活が終わり、セスナが僕を迎えに来てくれる音だった。

さまざまな音の記憶をたどりながら、アラスカの旅を思いおこすことができる。古いアルバムのページをめくるように、はるかな思い出に耳をすますことができる。

グレイシャーベイをカヤックで旅した時の、崩壊した氷河がピシピシと太古の気泡を出しながら、海の中で水に返ってゆく音。姿こそ見せなかったが、ある秋のブルックス山脈で聞いた、オオカミのしみわたるような遠吠え。南アラスカの海面に漂っていたザトウクジラの歌。オーロラが激しく舞う真冬の凍てついた夜の、キーンと静まりかえった音のような気配……そしてたった一度だけ聞いた、一〇万頭のカリブーの群れがベースキャンプを通り過ぎて行った足音。

アラスカの原野をさまようカリブーの旅に、僕は魅かれ続けていた。それはいつも、空間の広がりと、自然が人間のためでも誰のためでもなく、それ自身の存在のために息づいている世界を実感させた。この壮大な旅を地球上に残せるかどうか、人間は最後の試験を受けさせられているのかもしれない。いつかカリブーの旅がこの原野から消えた時、アラスカの自然は大きく変わってゆくのだろう。

アラスカ北極圏の、ある暑い夏の日の午後だった。ツンドラの地平線から白い点がポツポツ現れ始め、やがて一本の線となり、その線もどんどん延びていった。カリブーの大群はまっすぐ僕のベースキャンプに向かっていた。カリブーの親仔がブーブーと互いに呼び合う声が聞こえてくると、もうひとつの不思議な音が耳に響いてきた……カチカチカチカチ……それはひづめの音ではなく、カリブーの柔らかな下肢の腱《けん》が歩きながらスナップする音だった。数千キロもの旅をするカリブーが備えた、特殊な足の構造なのだ。それは何という心地よい響きだったろう。カチカチカチカチ……一〇万頭の群れが奏でる和音に包まれた時、あたりはカリブーの海だった。約三時間をかけて、群れはベースキャンプを通り過ぎて行った。そして見わたす限りのツンドラには、一頭のカリブーも見えなくなった。

5　ツンドラに咲く小さな命

ツンドラの茂みの中に、見たことのない、くちばしの先が真っ赤な小鳥が佇《たたず》んでいた。いったい、何の鳥だろうとゆっくり近づいてみると、鮮やかな口紅は、たった今ついばんだばかりのクランベリー（コケモモ）の赤い実だった。

アスペンやシラカバの葉が黄に色づき、ツンドラの絨毯《じゅうたん》がワイン色に染まると、短いアラスカの秋が始まる。新緑のピークがたった一日のように、紅葉のピークも僅か一日である。原野の秋色は日ごとに深みを増し、さまざまな植物が織りなすツンドラのモザイクは、えも言われぬ美しさとなる。快晴の日が続き、ある冷え込んだ夜の翌日、あたりの風景が変わってしまったことに気付くだろう。一夜のうちに、秋色があまりに早く進んでしまったのだ。冬の匂いを運びながら、北風が絵筆のように通り過ぎていったのである。

ブルーベリーやクランベリーの実は熟し、渡り鳥は南への長い旅のため、クマは長い冬ごもりのため、その実をせっせと食べながら脂肪を蓄える。北の自然の恵みは、南のそれとは少し違うのかもしれない。それは、きびしい環境の中で、凝縮され、あっという間に散ってゆく。

どこか緊張感をもった自然の恵みである。

「ブルーベリーの実、今年はどう？」

それがアラスカのこの頃のあいさつであるように、人々もまた、冬の暮らしに向け、秋の恵みを蓄えてゆく。

毎日のように頭上を飛んでいったカナダヅルの編隊も姿を消し、晴れあがった夜にオーロラが舞い始めると、秋色はいつのまにか色あせている。秋は、なぜか人の気持ちを焦らせる。

短い極北の夏があっという間に過ぎてしまったからだろうか。

長く暗い冬が、もうすぐそこまで来ているからだろうか。

初雪さえ降ってしまえば覚悟はでき、もう気持ちは落ち着くというのに……そして僕は、そんな秋の気配が好きである。

無窮の彼方へ流れゆく時を、めぐる季節で確かに感じることができる。自然とは、何と粋な計らいをするのだろうと思う。一年に一度、名残り惜しく過ぎゆくものに、この世で何度めぐり合えるのか。その回数をかぞえるほど、人の一生の短さを知ることはないのかもしれない。秋は、自分にとって、そんな季節である。

6　ムースに降る雪

初雪の日、しんしんと降り積もる冬化粧を見つめながら、人はそれぞれの思いで立ちつくすのだろう。つかの間に過ぎゆく極北の夏、人々は慌ただしく動き過ぎてしまったのかもしれない。少し疲れているのだ。そして、冬の訪れは、なぜか心地よい諦めを人の心にもたらしてくれる。それはどこか、雨の日を家で過ごす気持ちに似ている。これから長く暗い季節が始まるというのに、初雪に心が安らぐのはそういうことなのだろうか。

そして、雪とは何と暖かいものなのだろう。生き物たちは生存のために雪に適応してきただけでなく、生存のために雪が必要なのだ。大地を覆う雪のブランケットがなければ、その下で冬を越す多くの動物たちは、酷寒の冬を生きのびることができない。

雪の暖かさは、僕たちの気持ちにさえ伝わってくる。無機質な白い世界は、人の心にあかりを灯し、かすかな想像力さえ与えてくれる。雪のない冬景色ほど寒々しいものはないと思う。

降りしきる雪の中、小さな身体に雪を積もらせ、トウヒの枝にじっと佇むベニヒワを見た。マイナス五〇度の寒気の中、あらゆるものが凍りついた世界で、なぜさえずることができるのだろう。雪の中でじっと動かぬその姿には、夏の光の中で飛ぶ姿より、もっと強い生命の佇まいを感じた。

冬の到来は、この北の土地にやってきて住みついた人々を、平等に試しているのだろう。多くの者が、この季節を境に毎年去ってゆく。それは生き物たちにとっても同じである。冬は、夏を生きぬいた生き物たちに容赦なく一線を引き、弱ったものを脱落させてゆく。人は去ることができるが、生き物たちにとって、それは死を意味する。

十一月のある日、降雪の中に佇むムースを見た。繁殖期の一カ月、何も食べずに闘争に明け暮れた雄のムースは、約二〇パーセントの体重を失いながら、きびしい状況の中で極北の冬を迎える。生き物たちは、どんな思いで初雪を迎えるのだろうか。もうすぐ落ちるという角に、雪は降り積もっていた。

一年の半分を占めるアラスカの冬。それは雪の世界である。人も動物も植物も、雪と関わりながらこの土地の冬を生きている。次の春まで存在を証明するかのように、ひたむきな生の営みを続けている。それにしても、雪景色は、どうしていつも静まりかえっているのだろう。雪の降る世界の静けさは人の心の模様を映しているのだろうか。

7　はるかな時を超えて

「風こそは、信じ難いほどやわらかい真の化石だ」と、誰かが言ったのを覚えている。私たちをとりまく大気は、太古の昔からの、無数の生き物たちが吐く息を含んでいるからだ。その吐く息とは、〝言葉〟に置きかえてもよいだろう。風に包まれた時、それは古い物語がどこからか吹いてきたのだという。

友人のクマの研究者と、南西アラスカの山で過ごした時のこと。私たちは冬眠前のクマの調査をしていた。その研究者は、十年前、クマによる不慮の事故により、片目を含む顔の半分を失っていた。九死に一生を得、さまざまな思いをへて、彼は再びクマの研究に取り組み始めていた。テーマは〝人間とクマの共存〟。

ある雪の夜、ストーブの火を囲みながら、僕は彼の語る自然観に耳を傾けていた。

「動物の脳というものは、きっと気の遠くなるような時間をかけて書かれた一冊の本なのだと思う。その中には、これまでその種が生きてきた何万年、何億年という歴史がすべて入っているんだ。もちろん、人間のことだってどこかに書かれているだろう、ずっと関わってきたんだからね……つまり、自然破壊が進み、生物の種が少しずつ消えてゆくということは、人間が自分たちのことを知り得る図書館から、一冊ずつ本を失くしてゆくことなんだ……」

この付近で、毎年たくさんのサケが遡上《そじょう》する川があった。僕は夏になるとその川でサケを獲り、同じ獲物を求めて多くのクマもそこに姿を現した。蛇行する川沿いに気持ちのよい草原があり、必ず同じ場所に僕はベースキャンプをつくった。草原は規則的でゆるやかな起伏があり、それがいつも不思議だった。ある時、その川に来ていた人が、小石を削った矢じりのようなものを見せながら僕に言った。

「あなたのキャンプしている場所は、昔々、この土地に暮らしていた人々の住居跡なのです。サケを獲るためにあなたがこの場所を選んだように、その人々もやはり同じことを考えたのですよ……」

私たち人間を含めた、目の前にあるすべてのものの存在は、はるかな時を超え、今ここに在る。生物の種に秘められた世界を想う時、太古の住居跡にテントをはったと知る時、忘れていたある連続性を感じることができる。かすかな風が吹いてくるのは、そんな時でもある。

8　アラスカ山脈の冬　自然の猛威

アラスカは、アメリカ人にとって、遠い土地である。それはカナダが間に入ることで、ひときわ独立して存在する地図上の距離の遠さだけではない。たとえば、保守的な東海岸に住む多くの人々にとって、アラスカは彼らのアメリカという意識の中に存在していない。まして、なぜそこに人が住むのか理解できないだろう。それでいて、アラスカは憧れの地でもある。

この土地は来る者を拒まず、さまざまな人間が、それぞれの思いをもってアラスカにやって来る。が、苛酷な自然は、やがて人々をふるいにかけ、ある者はこの土地を去り、ある者は根をおろしてゆく。そのふるいとは、冬のことである。

マイナス五〇度まで下がる寒気、太陽が姿を見せぬ夜の時間の長さ、それにともなう家の中に閉じ込められた暮らし……若い時代をアラスカに生き、年老いて南へ帰ってゆく人々も、やはり、この厳しい冬を越せなくなるからなのだろう。

同じフェアバンクスに住む友人に、アラスカの開拓時代をブッシュパイロットとして生きた、ジニー・ウッドという女性がいる。もう七〇歳を超えている。ある雪の降る日、近くの森のクロスカントリースキーに出かけようとする彼女に、僕はふいにそのふるいのことを聞きたくなった。

「ジニー、今でもアラスカの冬が好きかい？」

「うーん……、やっぱりそうなんだろうねえ」

彼女はすこしはにかみながらうなずいた。自分は一体どうなのだろう。いつの日か年老いた時、僕は今のようにアラスカの冬を好きでいられるだろうか。

きびしい冬の中に、ある者は美しさを見る。暗さではなく、光を見ようとする。キーンと張りつめた厳寒の雪の世界、月光に照らしだされた夜、天空を舞うオーロラ……そして何よりも、苛酷な季節が内包する、かすかな春への気配である。それは希望といってもよいだろう。だからこそ、人はまた冬を越してしまうのかもしれない。

きっと、同じ春が、すべての者に同じよろこびを与えることはないのだろう。なぜなら、よろこびの大きさとは、それぞれが越した冬にかかっているからだ。冬をしっかり越さないかぎり、春をしっかり感じることはできないからだ。それは、幸福と不幸のあり方にどこか似ている。

9　シロフクロウの新しい家族

もう何年になるだろう。春になると、アラスカ北極圏のツンドラにシロフクロウを捜し続けた。歩いても歩いても変わらぬ風景。ただただ、漠と広がるツンドラで、この一羽の鳥に出会うことは難しかった。双眼鏡に目をこらしても、どうしても白い点を見つけることができなかった。

シロフクロウは、極地に生きる巨大なフクロウである。翼を広げると約一・五メートル。フクロウ類は夜行性だが、シロフクロウだけは別だ。なぜなら、夏のアラスカ北極圏には夜がないのである。

一九八八年六月、北極海に注ぐコルビル川流域でシロフクロウの巣を見つけた。長い間会いたかった相手は、ツンドラの、何でもない三〇センチほどの小山の脇に四つの卵を産んでいた。それとは知らずに歩いていた僕は、気がつかないうちに親鳥を巣から離れさせていたらしい。あたりを見回すと、ツンドラの遥か彼方に、白い点がポツンと見えるではないか。早くこの場を去らなければならなかった。卵が冷えてしまうのだ。

急いでザックをおろし、カメラを取りだした。シャッターを切っておきたかった。アラスカを旅するようになってから、ずっと夢見ていたシロフクロウ。その営巣地を見つけたのだから……。

突然、背中に強い衝撃があった。かがんでいた僕は思わずバランスを失った。一体何が起きたのだ。白い大きな翼が目の前から宙に舞い上がったかと思うと、一転して向きを変え、再びまっすぐこちらに向かってくる。フクロウの大きな黄色いふたつの目が、しっかり僕を見据えていた。二度目の攻撃をやっとかわし、巣から離れた。セーターの下から背中に触れると、手が血で染まった。

一週間後、ブラインドを設営し、撮影が始まった。遮るものが何もない平坦なツンドラに、青いブラインドだけがしっかり飛び出ている。何とか慣れてほしかった。巣にうずくまりながら、初めはじっとこちらを見つめていた親鳥も、次第に落ち着きを取り戻していった。

直径二〇センチのブラインドの窓から、約一カ月の間、僕はその営巣行動を見続けた。四つの卵は無事にかえり、ヒナは親鳥が運んでくるレミング（ネズミの仲間）でどんどん成長していった。

ある朝、ブラインドの小さな窓をのぞくと、空っぽの巣と、どこまでも続くアラスカ北極圏の広がりだけが残されていた。

10　穏やかな春の日に

からだにしみる太陽のぬくもり。髪を濡らす半年ぶりの雨の気持ち良さ。香ばしい土の匂い。そして、ニュースで知るユーコン川の解氷。アラスカの長い冬が終わった。

早春のある日、大工のジャックが子どもたちを連れて、庭の花畑を見に我が家へやってきた。二年前の秋、ここにどんな家を建てようかと、僕たちは冬の気配を感じながらこの森で話し合った。巣穴に餌を運びながら冬支度をするアカリスの警戒音が、ひっきりなしにトウヒの木々の間から聞こえていた。僕はこの森の侵入者だった。そのことが、もうずっと、昔のような気がする。

断腸の思いで何本かの木を切り倒し、そこに家を建て、僕はこのアラスカの地に根をおろした。四季はめぐり、切り株のまわりにまいた花の種は光と水を得て動きだし、いつのまにかスクスクと生長した。花畑の中ではしゃぎまわるジャックの子どもたちも、しばらく見ない間に、すっかり大きくなっている。

チチチチチ……見上げると、アカリスの家族がトウヒのてっぺんから幹を伝って降りてきた。まだ生まれてまもないのだろう。小さなアカリスが、さらに小さな子どもを連れて走り回っている。初めてこの森にやって来た日、僕たちに向かって叫んだのと同じヤツだろうか。

枯れ枝を集めながら、夕暮れのトウヒの森を歩く。湿った大気が、ゆるく、暖かい。森のカーペットのあちこちに、固くコロコロしたムースの冬の糞が落ちている。きびしい冬の間、餌を求めて何度もこの森を通り過ぎていったに違いない。

しかし、今はもう新緑。ヤナギの新芽は、ムースの糞にたっぷりと水気を混じらせているに違いない。やがて、森のどこかで、二頭の子鹿を連れたムースに出会う日も近い。子どもたちの笑い声を残しながら、ジャックの家族は残照の中を帰っていった。花畑は陰に沈み、家に映しだされた木々の影もゆっくりと消えてゆく。何と暖かい風景なのだろう。

今、陽が沈もうとする一日の終わり、めぐる季節、人の一生、そして大いなる自然の秩序。ずっと続いてきて、これからも続いてゆく。その単純な営みの繰り返しがもつ深遠さ……。

ポカポカとした穏やかな春の日に思うこと、それは、希望というものへの、かすかなる予兆である。

Ⅲ

自然のささやき

アラスカに暮らし始めてから、十八度目の冬が過ぎようとしている。多くの選択があったはずなのに、どうして自分は今ここにいるのか。たった一度の一生を、なぜAではなく、Bの道を歩いているのか。誰しも、そんなことを考えずに日々を生きているのに、ふとした一瞬、その不思議さに想いを馳せることはないだろうか。

三月のある朝、寒さに目を覚まし、ストーブにくべる薪《まき》を取りに外へ出た。遥かな地平線に浮かぶアラスカ山脈から、今、早春の陽が昇ろうとしている。暗黒の冬が明け、太陽を慈しむという、忘れていた遠い記憶が呼び覚まされる。ふとした一瞬とは、例えば、そんな時だ。

初めてこの土地に移り住んだ二〇歳のころ、アラスカの自然はこんなふうに優しく語りかけてはこなかった。きっと、私も緊張していて、力ずくでこの自然に向かっていたのだろう。

いつしか歳月も過ぎ、家を建て、この土地にすっかり根を下ろすと、風景は別の言葉で語り始めていた。人間も動物も、季節を吹き抜けてゆく風さえも、自然という同じタペストリーの中に織られたそれぞれの糸のような気がしてきた。原野で出会うクマの生

命が、自分の短い一生とどこかで絡まっている。

子どもから大人へと成長し、やがて老いてゆく人間のそれぞれの時代に、自然はさまざまな言葉を語りかけてくるものらしい。その声に耳をすませているうちに、気がつくと十八年がたっていた。

きっと、私たちには、多くの選択などないのかもしれない。それぞれの人間が、行き着くべきところに、ただ行き着くだけである。

自然はいつも、強さの裏側に脆《もろ》さを秘めている。そして私が魅かれるのは、生命の持つその脆さの方だ。アラスカの大地は、忘れていた人間の脆さをそっと呼び覚ましてくれる。それが、今の私に聞こえ始めた、自然からのかすかな声である。

オーロラ

凍《い》てついた冬の真夜中、日本の友人から電話が入る。しばらく話をした後、ふと話題を変えた。

「今、オーロラが出ているんだ」

「えっ、本当」

「かなり動きが激しい……。見せてあげたいよ」

「そうか……」

友人の言葉は一瞬、途切れた。

北の空から現れた一条の光は、宇宙からの風に吹かれるかのように揺らめき出し、いつしか全天に広がっていた。刻々と変化する光の帯は、カーテンとなり、竜巻となり、暗黒の空を舞っていた。もうしばらく見ていよう——。そう思った時、電話のベルが鳴ったのだった。

私が暮らす極北の町フェアバンクスは、北緯六五度に位置し、緯度的に最もオーロラが見えやすいという。この町の人々にとって、オーロラは珍しいものではない。にもかかわらず、天空を生き物のように駆け巡る冷たい炎に、私たちは足を止められ、何か大いなるものの存在へと心が吸い寄せられてゆく。

以前、冬の山でたった一人でオーロラを見上げていた時、あまりの光の強さと雪面に反射した光で、辺りが一瞬、昼間のように明るくなった。それは美しいというより、畏怖を感じる体験だった。

エスキモーの民話でも、オーロラは不吉の前兆とされ、光が地上に下りて来て、子供をさらってゆくと信じられていた。かつて、オーロラが何であるかわからなかった彼らにとって、あの光は不気味でこそあれ、美しいわけがない。

電話の友人の声が途切れたのは、受話器の向こうで何かを想像していたからだろうか。自分が日本で暮らしている今、この瞬間、アラスカでオーロラが舞っている。それは当たり前でいて、何と深遠なことなのだろう。

私たちは、二つの時間を持って生きている。カレンダーや時計の針に刻まれる慌ただしい日常と、もう一つは漠然とした生命の時間である。すべてのものに、平等に同じ時が流れていること……その不思議さが、私たちにもう一つの時間を気付かせ、日々の暮らしにはるかな視点を与えてくれるような気がする。

氷河

眼下の風景を伝える機内のアナウンスが聞こえてきた。隣で寝ているビジネスマンらしき男は目を覚ましそうにない。さっきまでアタッシェケースの中のワープロをたたいていたから、きっと疲れているのだろう。もったいないな……と思いながら、起こしてあげたい衝動にかられた。

アラスカ航空でアンカレッジ—ジュノー間を飛ぶ時、私は必ず窓際の席を取ることに決めている。南アラスカの海岸線に広がる大氷河地帯を眺められるからだ。夕暮れの光を浴びて、ロードアイランド州の広さに匹敵する、海のような冬のマラスピナ氷河が迫ってきた。何という壮大な氷の世界なのだろう。

最後のウィスコンシン氷河期、北アメリカの半分は厚い氷に覆われていた。太平洋側のコルディア氷床と大西洋側のローレンタイド氷床である。北方アジアから干上がったベーリング海の草原「ベーリンジア」を渡ってきたモンゴロイドは、この厚い氷壁に阻まれて数千年の間、アラスカから先へ進むことができなかった。が、地球の温暖化はゆっくりと氷床を縮小させ、約一万二千年前、二つの氷床の間に無氷回廊と呼ばれる道が現れる。モンゴロイドはその道を通って南へと広がっていったらしい。

145　氷　　　河

窓の外に広がる氷原は、そのコルディア氷床の名残りなのである。氷河期も、マンモスを追ってベーリンジアを渡ったモンゴロイドの旅も、遠い昔の出来事ではない。一万数千年という過去は、人間の一生を繰り返してさかのぼるならば、たかだか百代前の私たち祖先の物語である。

氷河期の面影に、人間がたどってきた歴史を振り返らせられる。世紀末を迎え、次の時代が見えてこない今、氷河はただの美しい風景ではなく、人間の行方をそっと問いかけてくる。

窓から見下ろす氷河の照り返しが眩《まぶ》しい。幻の中で、モンゴロイドの一団が、氷原の彼方《かなた》の無氷回廊を進んでいる。

クマの母子

友人のクマの研究家、ジョンから電話が入った。「明日行くぞ！　アラスカ野生生物局の前に朝八時集合だ」

ジョンはフェアバンクス周辺で冬ごもりをするブラックベアの調査を毎年続けている。夏の間に発信機をつけ、その信号を頼りに冬の巣穴を見つけるのだ。私は何度もこの調査に参加しているが、今年はその一頭が子グマと一緒らしい。それも町のすぐ郊外で……。

凍結したタナナ川を渡り、雪深い対岸の林へカンジキで入ってゆくと、ピッ、ピッと信号音が次第に強くなってきた。

「あの雪の下かもしれない……」ジョンが小声でささやきながら目の前の雪面を指さすと、親指ほどの呼吸穴が見えるではないか。

スコップで慎重に雪をかき分け、ポオッと大きな穴が現れると、私たちは緊張した。ジョンが中をのぞき込み、素早く麻酔の注射を打った時、母グマが前足を振りながら威嚇したらしい。びっくりしただろう。クマが、である。半年近くも静かに眠っていたのに、突然光が差し込み、人間の顔が近づいてきたのだから。

五分ほど過ぎ、麻酔が効いたのを確かめてから、懐中電灯を照らしてもう一度暗い巣穴をのぞき込んだ。昨年生まれた二頭の子グマが母グマに抱かれてスヤスヤと眠っている……。

私はいとおしくてならなかった。この小さな空間で、じっとうずくまりながら春を待つクマが、である。そこには、原野を歩く夏の姿より、もっと強い生命《いのち》のたたずまいがあった。

私たちは親子の体重を測り、血液のサンプルをとり、健康状態を確かめてから元の巣穴に戻し、何もなかったように雪をかぶせた。

早春のある日、誰かがこの林をクロスカントリースキーで駆け抜けてゆくだろう。その雪面の下で、クマの親子がじっと春を待っているのも知らずに……。私は今、その二つのシーンを、ひとつの風景として想像することができる。

149　クマの母子

春

もうすぐ、ユーコン川が冬の眠りから覚める。半年の間凍りついていた川が、ある日、ボーンという爆発音とともに割れて、一斉に動き出すのだ。ピーンと張りつめていた季節の最後の糸が、もう耐えられず切れてしまうかのように……。私は川岸でその瞬間を見ていたことがあり、春の訪れを告げるその音を今でも覚えている。地上はすっかり春めいていても、ユーコン川が流れ出さないかぎり、人々の心の中で、まだ冬は終わっていない。

我が家の庭の雪もすっかり消え、半年ぶりにかぐ土の匂いが香ばしい。まだ湿った地面にコロコロとしたムースの冬のフンが散らばっていた。知らぬ間にあの巨大なシカが庭を通り過ぎていったらしい。

一本の古いシラカバの木が、二月の大吹雪で倒れている。いや古いというより、もうずっと前に死んでいたのだ。枝もない幹だけが枯れて立っていたのだが、私はガッカリした。地上から二メートルほどの幹に小さな穴が開いていて、その中はアカリスが毎年出産をして子育てをする巣だったのだ。

地上に倒れたその木を毎日見ているうち、ストーブの薪《まき》にする前に、幹を切って巣穴

151　春

の中をのぞいてみたい気がしてきた。寒さをしのぐためにどんな工夫をしていたのだろう。トウヒの枝や枯れ草が敷きつめられているのだろうか。その小さな穴の内部は、長い間、私の興味を誘い続けてきたのである。

ノコギリでていねいに木を切り離すと、中はすっかり空洞になっていて、巣は幹の底にあるらしい。懐中電灯をかざしてみると、何ということだろう。巣穴の底に敷きつめられていたものは、我が家の丸太の間につめられている断熱材だったのである。

もうすぐ、人々の心に、ユーコン川が春を告げるあの音が聞こえてくる。アカリスは、新しい生命を育《はぐく》むすみかをもうどこかに見つけているだろうか。

遺産

アンカレッジで開かれたリペイトリエイション会議に出席した。

〝帰還〟を意味するリペイトリエイションとは――。十九世紀から二十世紀にかけて、世界中の博物館が古代の遺跡や墓から美術品を収集した時代があり、その中には研究目的で無数の人骨も含まれていた。持ち去った先祖の埋葬品や骨を返してほしい、というエスキモーやインディアンの人々の願い、その至極当たり前な要求は、リペイトリエイションという大きな流れになってアメリカ中の博物館を静かに脅かしつつある。

その日の会議のパネリストには、それぞれの博物館から考古学者が出席し、その中にたった一人、インディアンの古老がいた。

私たちは学問という名のもとに、古代の墓を次々と暴いてゆく。が、その時、その場所に秘められた古代の人々の祈りはどうなるのか。謎を解き明かすということは、それほど大切なことなのか。

私は以前、古いトーテムポールの残るハイダインディアンの廃村を訪れたことがあった。かつて博物館が歴史的遺産の保存のためにトーテムポールを持ち去ろうとした時、人々は朽ち果ててゆくままにしたいと拒絶したのだ。風雪と歳月にさらされたトーテムポールは、苔《こけ》むし、ゆっくり自然に返ろうとしていた。私はそこで会った一人のインディアンの言葉が忘れられない。

「いつかトーテムポールは消え、森が押し寄せてくるだろう。それでいい。その時、ここはさらに霊的な土地になるからだ」

目に見える物に価値を置く社会、目には見えぬ心に価値を置く社会……。リペイトリエイションはその二つの世界のぶつかり合いだ。

会議では古代という定義は何なのか、いつまでさかのぼるものか、という議論が続いていた。ずっと黙っていたインディアンの古老が静かに語り始めた。

「あなたたちは、なぜたましいの話をしない。それがとても不思議だ……」

会場は水を打ったように静まり返っていた。

ルース氷河

オーロラの中を流れ星が落ちてゆく。百武彗星《ひゃくたけすいせい》もはっきりとした尾を引きながら天上にある。夜の氷河のシーンとした静けさ。どこからか雪崩《なだれ》の音が聞こえてくる。

「流れ星なんて見るの、生まれて初めてだよ」

「氷河の上にあんなにはっきり山の影が出ている。月の光って明るいんだなぁ」

「百武彗星って一、二万年に一度しか見えないの？　遠い昔、だれかこの彗星を見上げていたのかもしれないね」

「あっ、オーロラが動きだした！」

毎年三月になると、ぼくは学生時代の仲間と共に、小学生から高校生までの一五人の日本の子どもたちを連れて、アラスカ山脈のルース氷河にやって来る。セスナに乗り、すさまじい岩壁や氷壁が両側に迫る氷河をたどり、深い新雪の上に着陸し、ラッセルしながら無人の山小屋へと向かう。

ここは宇宙と対話ができる不思議な空間だ。四〇〇〇〜六〇〇〇メートルの高山に囲まれた氷河の上で過ごす夜。暗黒の空を生き物のように舞う冷たい炎……。ルース氷河は、岩、氷、雪、星だけの無機質な世界である。あらゆる情報の海の中で暮らす日本の

157　ルース氷河

子どもたちにとって、それはまったく逆の世界。

しかし、何もない代わりに、そこにはシーンとした宇宙の気配があった。氷河の上で過ごす夜の静けさ、風の冷たさ、星の輝き……。情報が少ないということはある力を秘めている。それは人間に何かを想像する機会を与えてくれるからだ。

日本に帰って、慌ただしい日々の暮らしに戻り、ルース氷河のことなど忘れてしまってもいい。が、五年後、十年後に、その記憶を知りたいと思う。一つの体験が、その人間の中で熟し、何かを形づくるまでには少し時間が必要だ。

子どものころに見た風景が、ずっと心の中に残ることがある。いつか大人になり、さまざまな人生の岐路に立った時、人の言葉ではなく、いつか見た風景に励まされたり、勇気を与えられたりすることがきっとある。

頭骨

南東アラスカの森の中の洞窟《どうくつ》で、三万五千年前と推定されるハイイログマの頭骨が見つかった。発見者である若き古生物学者は、子供のころからのケイビング（洞窟探検）好きが高じてこの道に進んだという。アラスカの深い森に潜む洞窟にひかれ、いつか何かに出会えると信じていたらしい。

クマの身体は寝ているままの姿勢で白骨化していて、手の指先までそのまままきれいに残っていた。まるでだれかがやって来るのを三万五千年も待っていたかのように。

私は大学の研究室でこの頭骨を手にしながら、一つのことが頭から離れなかった。このクマが生きていたころ、アラスカに、いや北アメリカに人間はいたのだろうかと……。

モンゴロイドがいつごろ世界へ広がっていったのか、それは人類史の大きなテーマである。最近の南アメリカの古い住居跡の発見は、これまでの定説であった単純な北からのモンゴロイド大陸移動説を覆そうとしている。また、氷河期にアジアとつながる陸橋が存在しなかったオーストラリアで、なぜ三万〜四万年前の古い住居跡が見つかったのか。

もし人間が、我々が想像するより遥かな昔から大海原を航海する力を持っていたとすれば、モンゴロイドの旅はもっと自由な発想の中で考えられるだろう。そして最初のアメリカ人は、北方アジアから干上がったベーリング海を渡ってきたモンゴロイドではないかもしれない。もし、もっと以前に人間がこの大陸にたどり着いていたとしたら、このハイイログマは一体だれを見つめていたのだろう。

それにしても、骨とは何と不思議な語り部なのか。頭骨を入れた箱を抱え、大学の薄暗い研究室の廊下を一人で歩いていると、コトコトと美しい音が箱の中から伝わってくる。三万五千年という時を刻みながら、遥かなる物語を語りかけてくるように……。

161　頭　　骨

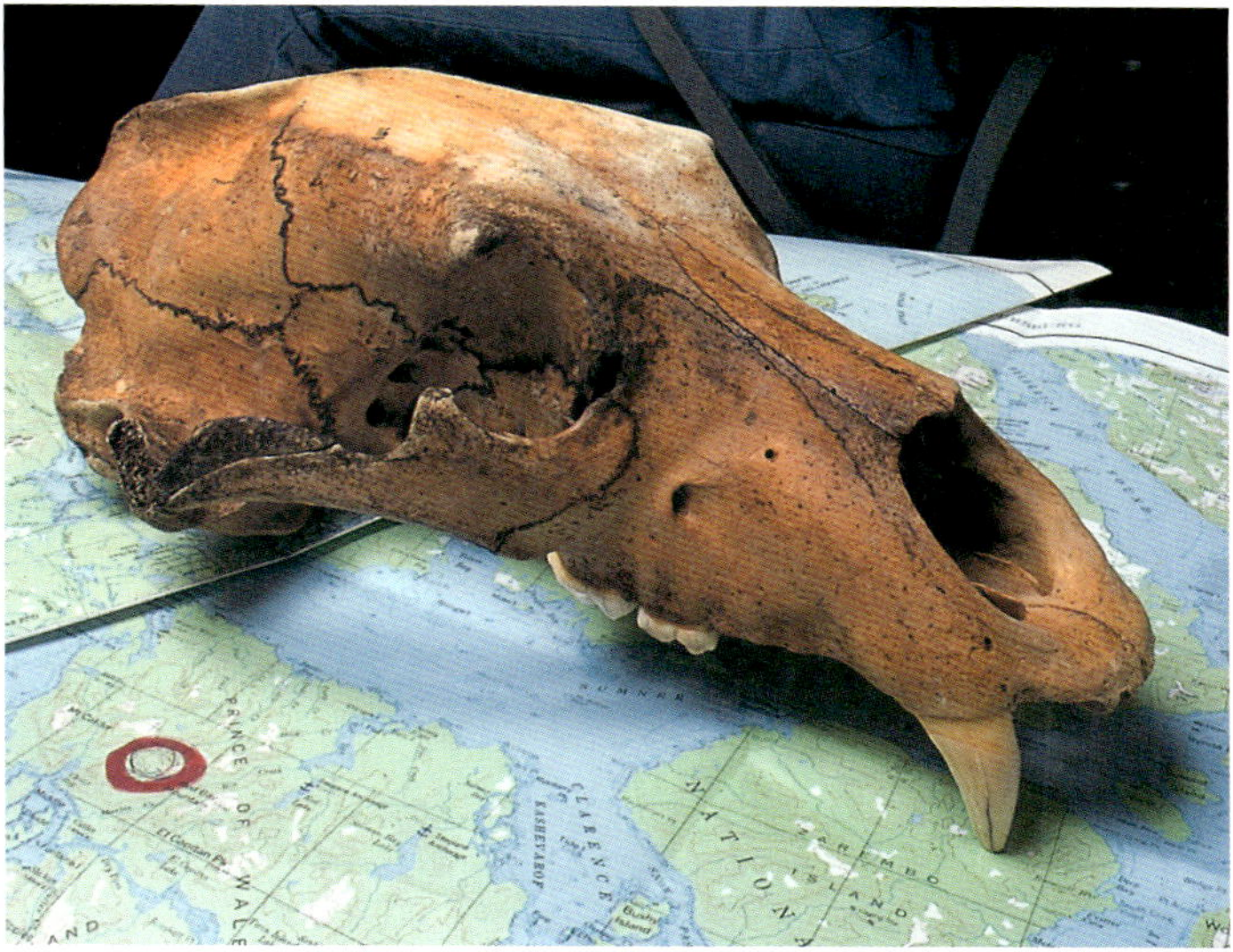

カリブーの旅

地平線の彼方から現れたカリブーの群れは、やがてツンドラを埋め尽くし、まっすぐ私のベースキャンプに向かって来る。一万頭、二万頭、いや五万頭はいるだろうか。気の遠くなるような北極圏の広がりの中で、この光景を見つめているのは自分しかいない。いつしか辺りは低く唸《うな》るような不思議な声に包まれ、気がつくと私はカリブーの海の中にいた。

いつも、いつも、遅く生まれ過ぎたと思っていた。かつてアメリカの大平原を埋め尽くしていたバファローは消え、それと共に生きていたアメリカインディアンも大地とのかかわりを失い、あらゆる大いなる風景は伝説と化していった。人間は二十一世紀を迎えようとしているのである。が、今私の目の前を、カリブーの大群が何千年前と変わりなく旅を続けているのを見て、何かに間に合ったような気がしたのである。

きっと人間には、二つの大切な自然がある。日々の暮らしの中でかかわる身近な自然、それは何でもない川や小さな森であったり、風がなでてゆく路傍の草の輝きかもしれない。そしてもう一つは、訪れることのない遠い自然である。ただそこに在るという意識を持てるだけで、私たちに想像力という豊かさを与えてくれる。そんな遠い自然の大切

さがきっとあるように思う。

カリブーの大群はベースキャンプを通り過ぎ、やがて別の地平線に消えて行って、見渡す限りのツンドラには一頭のカリブーもいなくなった。〝風とカリブーの行方はだれも知らない〟というインディアンの言葉をふと思い出していた。

私はカリブーがいなくなった地平線を見つめながら、深い感動と共に、消えてゆく一つの時代を見送っているようなある淋しさを覚えていた。

いつの日か、この極北の地にあこがれてやって来た若者は、遅く生まれ過ぎたことを悔やむのだろうか。

狩人の墓

荒涼としたツンドラにクジラの骨は立っていた。何という美しい墓なのだろう。そして私はこの土の下に眠る老人を知っている。ローリー・キンギック……。エスキモーが真のエスキモーであった時代の最後の極北の狩人だった。

もう十年以上も前、私はここポイントホープの村人たちと共に伝統的なクジラ猟に出かけた。アザラシの皮で作った小さな舟「ウミアック」で巨大なクジラを追い、氷上に引き揚げられたクジラを囲んで祈りをささげ、解体の後に残されたあご骨を海へ返しながら「来年もまた戻ってこいよ！」と叫ぶエスキモーたち……。私は自然保護とか動物愛護という言葉に魅かれたことはなかったが、狩猟民のもつ自然観の中に大切ななにかがあるような気がしていた。

私たちが生きていくということは、だれを犠牲にして自分が生き延びるか、という日々の選択である。生命体の本質とは他者を殺して食べることにあるからだ。それは近代社会が忘れていった血のにおいであり、悲しみという言葉に置き換えてもいい。その悲しみをストレートに受け止めなければならないのが狩猟民なのだ。人々は自らが殺した生き物たちの霊を慰め、再び戻ってきて犠牲になってくれることを祈る。

私は目の前の土の下に眠るローリーと十数年前に交わした会話をふと思い出していた。

「ローリー、何頭のクジラを一生で捕った?」

「二〇頭だったか、三〇頭だったか……、もうそんなことは忘れてしまったよ」

クジラと共に生き、クジラと共に大地へ帰ってゆく人々。ベーリング海から吹き寄せる霧が大地から突き出たクジラの骨を優しくなでてゆく。美しい墓の周りに咲き始めた小さな極北の花々をながめていると、有機物と無機物、いや生と死の境さえぼんやりとしてきて、あらゆるものが生まれ変わりながら終わりのない旅をしているような気がしてくる。

季節の色

庭の残雪がすっかり消えると、いつの間にか白夜の季節になっていた。ついこの間まで暗黒の冬を過ごしていたのに、陽が長くなったばかりか、もう夜がない。気がつくと五月の風が山の斜面を淡い新緑に染め上げている。アラスカの、目まいがするほど季節が変わる瞬間……。

夕暮れ、近くの森を歩いた。覆いかぶさるようなシラカバやアスペンの若葉。足元の草むらにはワイルドクロッカスの薄紫色のつぼみ……。毎年、巡り来る季節の色なのに、私はいつも不思議でならなかった。

長い冬の間、木々の新緑や、花々の鮮やかな色はどこに潜んでいたのだろう。植物が内包する色は、一体どこからやって来るのか。いや、そもそも自然の色とは何なのだろう。

先日、私の好きな染織家の志村ふくみさんの本『語りかける花』を読んでいたら、こんなことがつづられていた。

「私は次第に『色がそこに在る』というのではなく、どこか宇宙の彼方から射してくるという実感をもつようになった。色は見えざるものの領域にある時、光だった。我々は

見えざるものの領域にある時、霊魂であった。色も我々も、根元は一つのところから来ていると。そうでなくて自然の色彩がどうして我々の魂を歓喜させるのだろうか」

私は季節の動く瞬間が好きだ。紅葉のピークがわずか一日のように、透き通る若葉の季節も一瞬である。ただ無窮の彼方へと流れゆく時に、巡る季節でふと立ち止まることができる。自然とは何と粋な計らいをするものなのだろう。それぞれの美しい季節にこの世であと何度、巡り合えるのか。その数を数えるほど人の一生の短さを知るすべはない。自然の色に、私たちはたった一回の生命《いのち》を生きていることを教えられるのだ。

ある日、ふと山の斜面に目をやると、やわらかな新緑が濃い緑に変わっている。アラスカに、また夏がやって来た。

夏　至

夏至がやって来る。太陽の描く弧はどんどん頭上に舞い上がり、もうほとんど沈むことはない。が、夏至はこの土地で暮らす人々の心の分岐点。本当の夏はこれからなのに、明日から短くなる日照時間に、どこか遠くにはっきりと冬の在《あ》り処《か》を感じるのだ。アラスカの人々はいつも太陽の存在を確認しながら生きているのかもしれない。

夏至が近づくと、十年以上も前にフェアバンクスで行われた白夜の野球試合を思い出す。その年、韓国のオリンピックチームがアラスカにやって来て、全米でも強いとされているフェアバンクスの町のチーム「ゴールドパナーズ」（ゴールドパンとは、川で砂金をすくう皿のこと）と親善試合をした。

夏至の夜の試合には一つの決まりがある。どんなに暗くても球場の照明をつけないでゲームを行うのだ。そんな必要がないほど白夜は明るいのだが、その日に限ってフェアバンクスの空を暗雲が覆っていた……。

試合が始まってしばらくすると、韓国のチームから抗議が出た。暗くてボールがよく見えないから球場のライトをつけろ、と。しかしフェアバンクスのチームは、今日は夏至だからとまったく応じない。試合は続行されるが、観客の方もしっかり目をこらさないと、ピッチャーの投げる球や打者の打ったボールの行方がわからなくなってきた。再び韓国のチームから抗議が出る。危ないからライトをつけろと……。が、今日は夏至だからと、やっぱり譲らない。結局、韓国のチームは怒って試合を放棄して帰ってしまった。フェアバンクスの人々からは何の文句も出なかったのだが……。

太陽の描く弧を見つめながら一年を送る極北の人々。夏至は何ものにもかえがたい祭りの日。白夜の試合に繰り広げられた、どこか喜劇のような可笑《おか》しさの中に、アラスカの人々の、太陽に生かされているという自然への祈りがある。

海辺

海辺は、地球がまだ生まれたばかりの遠い昔、大地と水が出会った場所であり、私たちの生命《いのち》のドラマが幕開けしたところである。潮が引いた浜に下りてゆくと、誕生と進化を今も繰り返す太古の地球の姿がそこにある。

ある満月の日、私はカナダ西海岸沖に浮かぶクイーンシャーロット諸島の多島海を旅していた。朝の引き潮は島と島の間の水路を完全に干上がらせ、無数の貝、ヒトデ、ウニ、イソギンチャク、そして名も知らぬ海辺の生き物たちがすっかり姿を現した。陸続きとなった岩の上では、森の中から現れたオジロジカがのんびりと海草を食べている。何という自然の恵みだろう。人けのないひっそりとした浜辺にたたずんでいると……エデンの世界……ふとそんな言葉が頭に浮かんだ。

私は浜辺の木陰に隠れるように見える白い何かが気になっていた。それは朽ち果てた小屋のようだが、ここは人が暮らす世界からはずっと離れた孤島である。ボートで私を連れて来てくれた土地の人に聞いてみた。

「あの小屋は何ですか」

「昔、おかしな若者がたった一人で住んでいたんだ。まったく人と会わずに自給自足し

ていたらしい」

「おかしな若者？」

「ベトナムの帰還兵だったという話だが……」

小さなイソガニが美しい貝の間をはい回っていて、私は腰をかがめ、しばらくその行方を追っていた。いつの間にか磯のくぼみにかすかな水の流れが現れ、イソガニは身体《からだ》を浸しながらその中へ消えていった。やがてゆっくりと潮が満ちてきて、太古の昔と変わることなく海は永遠のリズムを刻み続けていた。

私はこの海辺で癒されていったであろう若者の心に思いを巡らせていた。人間の持つ哀しみと悠久なる自然。寄せては返す波の調べに人の心が静まるのは、私たちの身体のどこかに、遠い海辺の記憶が残っているからだろうか。

憧れ

子供のころ、家の近くに三本立ての映画館があり、新しいチャンバラ映画をいつも心待ちにしていた。

ある時、「チコと鮫」という外国映画がやってきた。ストーリーは、観光開発で変わり始めようとする南海のタヒチ島を舞台に、サメと友達になった原住民の少年チコと、ヨーロッパから観光で訪れた少女との淡い恋物語である。まだ子供だった私が魅きつけられたのは、その背景に映し出された南太平洋の青い広がりだった。パンフレットには、ハリウッドのセットを使わず現地で撮られた最初の自然ものの映画、と書かれていたのを覚えている。当時チャンバラ映画ばかり見ていた私は、突然、世界の広がりを見せられたのだ。

やがて私は、北海道の自然に強く魅かれていった。その当時、北海道は遠い土地だった。多くの本を読みながら、一つのことがどうしようもなく気にかかり始めていた。それはヒグマのことだった。

大都会の東京で電車に揺られている時、雑踏の中で人込みにもまれている時、ふっと北海道のヒグマが頭の中をかすめるのである。私が東京で暮らしている同じ瞬間に、同じ日本でヒグマが生き、呼吸をしている……。確実にこの今、どこかの山で、一頭のヒグマが倒木を乗り越えながら力強く進んでいる……。そのことがどうにも不思議でならなかった。

考えてみれば当たり前のことなのだが、一〇代の少年には、そんなことがひっかかってくるのである。自然とは、世界とは、面白いものだなと思った。あのころはその思いを言葉に変えることは出来なかったが、それは恐らく、すべてのものに平等に同じ時間が流れている不思議さだったのだろう。そしてその不思議さは、自分が育ち、今生きている世界を相対化して視《み》る目を初めて与えてくれたのだ。

自然への憧れ……今、ふと振り返ってみると、そんなシーンが思い浮かんでくる。それはゆっくりと膨らみながら、どこかでアラスカへとつながってしまったような気がする。

旅の終わり

アラスカに移り住んで十年もたったころだろうか、突然、土地を買って家を建てないかという話が降ってわいた。友人の家の隣の森が売りに出たのである。

それまでは小さな小屋を借りていたので、旅をしていても、帰ってくるベースはあった。が、そうやって、どれだけ長い間をアラスカで過ごそうと、結局、私は旅行者だった。この土地で生きる人々のさまざまな暮らしと出会いながら、いつしか自分が問われ始めていた。〝おまえは一体どこで生きてゆこうとしているのか〟と……。私は旅行者であることに、ある疲れと物足りなさを感じ始めていた。

この土地で暮らしてゆこう――。そう思うと、周りの風景が少し変わって見えてきた。春に南から飛んでくる渡り鳥、足元の花々や周りの木々、いや吹く風さえも自分と親しいつながりを持ち始めている。その近さはまた、今という座標軸にとどまらず、遠い過去の時間へも延びてゆく。

ゴールドラッシュの夢に憑《つ》かれ、この北の果てにやって来たさまざまな人々。あるいはもっと昔、まだ薄明かりのアラスカに、北へ北へと船を進めたベーリングやクックらの北極探検史上の人々……。それらの無数の人々が、このアラスカの自然とかかわりな

がら、夢破れ、挫折し、また進んできた。

そしてこの土地にずっと生きてきたエスキモーや極北のインディアンの人々……。彼らさえも遥か昔、最後の氷河期で干上がったベーリング海を渡ってこの土地にやって来た。その切れ目のないつながりの果てに、今、自分がアラスカで呼吸をしている。いつしか、自分にとってアラスカという土地のもつ特殊性が薄れ、この土地に暮らし、かかわってゆくのだと決めた事実の方がより意味をもつようになった。

ある夏の日の夕暮れ、売りに出た森の倒木に腰掛けていると、資金もないのに急に夢が膨らんできた。ほおをなでてゆく風が、移ろいゆく人の一生の不確かさを告げていた。思いわずらうな、心のままに進めと……。

ワタリガラス

バンクーバーのブリティッシュコロンビア大学人類学博物館で一週間を過ごした。トーテムポールの文化を築き上げた海洋インディアン、ハイダ族、クリンギット族が創世神話のシンボルとした古いワタリガラスの芸術品を見せてもらうためである。

どこにでもいる鳥なのに、この何年かずっとワタリガラスのことが気になっていた。とりわけ、数年前、クイーンシャーロット諸島を訪れてからその想いが強くなった。もうだれもいない浜辺で、人々が神話の時代に生きていたころの朽ち果てたトーテムポールに出会ったのだ。この世に光をもたらし、あらゆるものを創造したとされるワタリガラスが、かすかな姿を残しながら、苔《こけ》むしたポールに刻まれていた。

人々が去ってから百年以上もたっているというのに、私はその場所に霊的な力を感じていた。その気配とは、かつてワタリガラスの神話に生きていた人々の視線である。風景を自分のものとし、その土地に深くかかわってゆくために、人間は神話の力を必要としていたのだ。それは私たちが、近代社会の中で失った力でもある。

そして、ずっと抱き続けてきた疑問があった。アサバスカンインディアン、そしてエスキモーにまでワタリガラスの神話があるのはなぜだろうか。その偶然性を長い間、不思議に感じていた。が、それは決して偶然ではなく、人々はワタリガラスの神話を抱きながら、アジアから新大陸へ渡って来たのではないか。つまり、ワタリガラスこそがモンゴロイドの旅のなぞを解くキーになりはしないかと。

ワタリガラスの装飾品の撮影が終わり、博物館が閉まる夜九時近くになると、私の周りにはだれもいなくなっていた。ガラス張りのホールの外に陽が沈み、やがてたくさんの星がまたたき始めていた。トーテムポールに刻まれたクマ、オオカミなどの生き物たち、ショーケースの中に飾られたワタリガラスのマスクがゆっくりと息を吹き返し、じっと私を見つめていた。

ジリスの自立

アラスカのマッキンレー国立公園での話である。

四国ほどの広さがあるこの公園の中に、たった一軒だけ観光客のためのビジターセンターがある。まさに原野の真っただ中の公園の中を一本道が通っているために、毎日たくさんの観光客がこの休憩所で過ごす。

その辺りはホッキョクジリスの生息地でもあり、観光客がバスを降りるたびにジリスは餌をあてにして走ってくる。完全に人なれしてしまっているのだ。公園のレンジャーは何とか餌をやらないように呼びかけているのだが、そこはどこの国の人の心情も同じで、かわいらしいジリスのしぐさにどうしても折れてしまう。

ある年のこと、奇妙な立て札が立った。なぜ奇妙かというと、その立て札はわずか一〇センチほどの低さで、体を曲げてわざわざのぞき込まない限り見えないのだ。その内容は「ジリスたちよ！」で始まる、ジリスに向けての警告だったのだ。

「……おまえたちは、そうやって人間から餌をもらってばかりいると、だんだん体重が増え、動きも鈍くなり、いつの日かイヌワシやクマの餌になってしまうだろう……」

私は笑ってしまった。何だろうと思ってサインを読む観光客も苦笑いを浮かべている。

ふと、日本の動物園で見た、クマのおりの中にひっきりなしに人々が食べ物を投げ込む光景を思い出していた。そこに書かれていた「動物に餌をあげないで下さい」というサインは、何と力のないメッセージだったただろう。そんなことは、だれもが知っているのだ。

思わず動物に餌をあげたくなってしまうのも人の自然な気持ちなら、餌をやってはいけないのだと感じるのも人の素直な気持ちである。正論に力を持たせるのは大変だ。余裕をもった、ちょっとしたユーモアが、ときに人の心を大きく動かしてゆく。

墓守

私の友人ボブは墓守である。南東アラスカの町、シトカでクリンギットインディアンの墓を十五年以上にわたって守り続けている。

新しい時代の渦の中で、多くのアラスカ先住民の若者たちは自分を見失い、酒と薬におぼれていった。ボブもまた同じ道をたどり、アラスカ中を転々としながら二〇代を生きていた。一時はアンカレッジの町の通りで浮浪者をしていたこともあったという。

疲れ果て、生まれ故郷のシトカにボブが戻ったころ、この町で新しい住宅建設が始まろうとしていた。半世紀以上もだれも手入れをしなかった森の中の古い荒れ果てたロシア人墓地を取り壊してである。が、ロシア人墓地となる前、そこは一千年以上にわたるクリンギットインディアンの墓だったのだ。

工事が始まると、掘り返された土の中から骨が現れ、古い埋葬品は盗まれていった。ボブは毎日この墓地にやってきては、草むらに散らばった骨を一つ一つ土の中へ返していった。やがてボブの行動がシトカの町で大論争を引き起こしてゆく。そしてついに住宅建設がストップされたのだ。

ボブはそれから毎日たった一人で掃除を始め、十年という歳月をかけて、荒れ果てた森の中の墓地をすっかりきれいにしていった。だれに頼まれたわけでも、お金をもらえるわけでもない。が、それはボブの心がゆっくりといやされてゆく時間だった。ボブはその間ずっと先祖のたましいと言葉を交わしていたという。私は彼から目には見えぬ世界の存在を知った。

今、シトカの町のだれもがボブを知っている。寡黙で、身なりも気にしないちょっと変わったボブだが、通りを一緒に歩いていると子どもたちが声をかけてくる。〝こんにちは、ボブ!〟と……。傷ついた心が墓を守ることでいやされていったボブの存在が、実は町の人々の心をいやしてきたのではないか。

再生する人々……。二十一世紀を控え、新しい時代が見えてこない今、それはかすかな希望である。

191 墓　守

原野と大都会

アラスカからニューヨークへ二度行ったことがある。

午前零時近くにフェアバンクスをたち、明け方にはニューヨークへ着く夜行便だが、時差が四時間あるので、十時間もアメリカの夜を飛び続ける。窓に顔をつけて眼下を見下ろしていると、アラスカの雪の原野が月光に照らし出され、凍てついた山々や氷河の陰影がくっきりと浮かび、そんな中に時折ポツンとかすかな灯を見ることがあった。だれかが原野で暮らしているのだ。

やがてシアトルの大都会の夜景が飛び込んできて、そこからはシカゴを通ってニューヨークまで地上の光が絶えることはない。原野にポツンと浮かぶ家の灯にも、大都会を埋め尽くす夜景にも、私は同じような愛《いと》おしさを感じていた。それは人間の営みが抽象化され、私たちの存在がひどくはかないものに感じるからだろう。

ニューヨークは本当に生き生きと動いている町だった。ストリートミュージシャン、大道芸人、セントラルパークでは三枚のトランプで生活している黒人がいた。ドラム缶の上に置かれた三枚のカードを素早く動かしながら、客に一枚の赤カードを当てさせるのだ。

何とさまざまな人がそれぞれの方法で生きているのだろう。アラスカからやって来た私には、ひっきりなしにどこからかパトカーのサイレンが聞こえてくるこの大都会の何もかもが新鮮だった。

が、私は、アラスカとニューヨークがどこかで似ているような気もしていた。それはきっと、どちらもハンパではない世界ということだ。アラスカでは苛酷な自然という世界を相手に、ニューヨークでは混沌《こんとん》とした人間社会の中で、人々は一生懸命に日々を生きている。言い換えれば、それは人間が生きてゆく緊張感というものかもしれない。

私はアラスカが好きだが、ニューヨークも好きだ。

古老

アサバスカンインディアンの古老、ピーター・ジョンをミントウ村に訪ねた。フェアバンクスの南西約二〇キロの原野にポツンとある、本当に小さなインディアンの村。今年九五歳になるピーターは、静かな晩年をそこで送っているが、かつてタナナ族のチーフを長く務め、多くの人々の尊敬を集めたスピリチュアル（精神的）リーダーである。

インディアンの集会で何度か彼のスピーチを聞いたことがある。子どもたちの未来、次の時代を憂うピーターの力強いメッセージに私はひきつけられた。七十年も連れ添った奥さんのスージーとフェアバンクスの町へ出てきた姿を何度も見かけたことがあるが、一生を原野に生きた二人の姿は犯しがたい輝きを持ち、私はいつも遠くからある憧れをもって見つめていた。いつか二人を訪ね、古い昔話に耳を傾けたいと願っていたのである。

そのスージーが昨年十二月、突然この世を去った。ニュースは深い悲しみをもって極北のインディアンの村々を駆けめぐった。二十一世紀を迎えようとしている今、人間と自然がある不思議な調和をもっていた時代を知る最後の語り部が、次々に消えつつある。

「何をしにやって来た？」と、私を迎えいれてくれた古老の瞳の奥が優しく笑っていた。

人間の新しい時代を垣間見ながら、静かに舞台から去ろうとするこの古老に、何か言い忘れていることはないか、私たちが知らない大切な秘密をまだ語っていないのではないか。きっと言葉にはならぬその答を探していた。

ピーターはいくつかの古いタナナ族の歌をうたい、いくつかの物語を民族の言葉で語った。

「おまえにタナナ族の言葉をひとつ教えよう」

「はい」

「チョーツィン……」

「チョーツィン、ですか」

「そう。愛する、という意味だ」

私はたくさんの古老を訪ねてゆかねばならない。それも急いで……。

Ⅳ

ヘラジカ

一九七八年、七月。それはアラスカに移り住んで最初の夏だった。ぼくはアラスカ中央部に連なるアラスカ山脈の麓を一人で旅をしていた。テントをかついで、三週間分の食料が切れるまでの最初の撮影行だった。長い間計画をしていたアラスカでの生活がこれから始まることに、ぼくの気持ちはかなり高揚していた。夏至を過ぎたばかりの極北の地は太陽が沈まない。白夜のトウヒの森の中を今夜の野営場所を捜しながら歩いていた。テント、食料、カメラ機材が詰ったザックは三〇キロを超し、その重みが肩にくいこんでくる。倒木に腰をおろし、一服ふかしながら休んでいると、アラスカにいる実感がしみじみわきあがってくる。しかし、これから五年間アラスカと取り組もうとしているのに、一体どこから手をつけてよいのかもわからないのだった。

しかし、そんな不安も吹き飛ばしてしまうほど、まわりのすべてが新鮮であった。時おり、アカリスの鋭いなき声が静まりかえった森のしじまを破る。熱いコーヒーをつくり体を暖めていると、前方のトウヒの木立の間を巨大な動物がゆっくりと移動していくのが見えた。その時、ぼくはその動物のもつ大きさに圧倒され、カメラを出すことも忘れて、木立の中に消えてゆく巨大なシカを見つめていた。それが初めてのヘラジカ（ムース）との出会いだったのである。そして、五年間にわたるヘラジカを求める旅がその時から始まった。

ぼくには子どものころより、北の自然への漠然とした憧れがあった。それは多くの場合、その当時読んだ動物記、探検記からきたものだと思う。とりわけ、シートンの『北極平原に動物を求めて』は繰り返し読みふけった。アサバスカ河とその支流を下り、カナダ北西部にひろがる未開の森林地帯へのカヌーの旅は、限りない夢を与えてくれた。途中の旅で出会う極北の動物たちを描いたシートンの絵が、北極の自然への憧れをさらにつのらせた。

二〇歳の夏、ぼくはかねてからの願いだった、アラスカエスキモーとの生活を共にする機会を得ることができた。北極圏の小さな村のエスキモーの家族が、ぼくを世話してくれることになり、ぼくは彼らとともにカリブーの狩猟にでかけ、北極海にセイウチを追った。

極地に生きる人びととの生活は、自分の中に強い印象を残し、北方の自然への興味をさらにかきたて、それからの六年間はアラスカの事が頭から離れず、次第に自分の中で大きなものとして育っていった。ぼくはけっしてアラスカという区切られた地域に興味をもったのではなく、もっと漠然とした北極の自然に魅かれていたのだろう。強烈な寒気、果てしなく続く針葉樹林の広がりは、それだけで自分の夢をふくらませるのに十分だったのである。ぼくは何とかして、北極という自然をテーマに、写真という手段を通し、この大地を表現してゆけないだろうかと考えていた。

大学を卒業し、数年間の写真家の助手を経たぼくは、一九七八年にふたたびアラスカに渡った。五年間にわたるアラスカでの生活は、さまざまな体験を与えてくれた。その土地に住むということは、何よりもその自然をじっくり見てゆく機会を与えてくれる。ある年は、一年の半分近くをテントで生活しながら旅をした。冬の間は小さな丸太小屋で暮らした。水道もなく、薪《まき》ストーブとベッドだけの小屋であったが、単純な生活に心から喜びを覚えた。そして、長いキャンプから帰りしばらくこの小屋で休むと、次のキャンプへの力をたくわえることができたのだった。

北極の自然という大きなテーマにとまどいながらも、アラスカは少しずつぼくに扉を開いてくれた。極北に生きる動物たちに興味をもつようになり、とりわけ、一〇〇〇キロの旅をしながらアラスカ北極圏をさまようカリブー、そして極北の森で孤高に生きる世界最大のシカ、ヘラジカに魅かれた。

ぼくはヘラジカを求め、四季にわたりアラスカの原野を一人で歩いた。それには多くの場合、ベースキャンプをつくり、一カ月近くを費やした。フィールドであるアラスカ山脈の麓は、冬の間深い雪に閉ざされてしまう。スキーとスノーシュー（輪カンジキ）を使い、冬のヘラジカを捜した。アラスカの厳冬期のキャンプはきつい。人に会うこともないその時期は、すべてのことを自分一人の責任で片づけていかなければならない。

ちょっとしたアクシデントが命取りとなる。また、機材と野営用具だけでかなりの重さとなり、たくさんの食料をもってゆくわけにはいかない。米、しょう油、そしてかつお節がぼくの主食で、それに熱いコーヒーさえあれば満足だった。しかし、そんな苦労をしながらの撮影行でも、ヘラジカを見ることのできないことのほうが多かった。そんな時、帰りのザックの重さが二倍にも感じられて肩にかかった。ヘラジカを見ることができ、さらに撮影がうまくいった時は、自分で自分を祝った。つまりその日の夕食のおかずが増え、とっておきのココアが飲めたりしたのである。

ぼくのヘラジカの調査は秋が中心だった。発情期が近づくとともに、ヘラジカの行動に変化が生じてくる。八月の終り、ツンドラの緑が燃えるような紅葉にとってかわるころ、ぼくは長いキャンプに入った。しかし、交尾期の行動がとらえられないまま三年が過ぎていた。秋の雄ジカ同士の戦い、そして交尾の瞬間をぼくはどうしても見てみたかった。それからの二年間は、つかれたかのようにヘラジカを求めアラスカ山脈を歩いた。そして四年目の秋、ついにすさまじい雄ジカの闘争に出会い、五年目の初冬、夢にまでみた交尾の瞬間をとらえることができたのだった。

アラスカの原野にこの巨大なシカを追った五年間はあっという間に過ぎてしまった。はじめてヘラジカに出会った時より、ぼくはこの動物に少し近づいたようだ。ヘラジカを追いながら、ぼくはまたさまざまな動物たちに出会った。ヘラジカがドラマをもっているように、それぞれの動物たちもまたそれぞれのドラマをもっているに違いない。ぼくはそれを追ってゆきたいと思う。

秋、交尾期が近づくと、雌のヘラジカは小さな群れをつくるようになり、一頭の雄ジカがその群れを守っている。それは、交尾テリトリーを作り、侵入する雄ジカとの戦いに勝ち残った強い雄ジカだ。その年、ぼくは八月からヘラジカを観察しており、交尾行動が見られないまま十月に入っていた。すでに何度も雪が降り、山々は新雪をかぶっていた。晴れた夜には今季最初のオーロラが空を舞い、冬が近づいていることを告げていた。五年間にわたるヘラジカの行動を観察する中で、ぼくはまだ交尾を見たことがなかったのである。

その日、朝から観察していたヘラジカの群れに変化が起きてきた。雄ジカと雌ジカの相互のなき声がひんぱんになってきたのだ。夕方、小雪の降る中で、雄ジカが突然前足のひづめで地面に穴を掘りだした。するとどうであろうか。これまで採食をしていた一頭の雌ジカがいっせいに頭をあげ、その雄ジカの行動をじっと見つめだした。何かが起ころうとしていた。そして、雄ジカが穴を掘った地面に排尿を始めるやいなや、すべての雌ジカがその場に集まってきた。そして我先にとばかりにその場にしゃがみこみ、雄ジカの排尿した場所に体をすりつけ始めた。それはワローイング（Wallowing）と呼ばれる交尾期の行動であり、発情した雄ジカと雌ジカが、お互いの体の匂いを交換するという働きをもっているといわれている。

この行動がそのまま交尾に続きやすく、ぼくはかたずをのんで、じっと観察していた。入れかわりたちかわり、雌ジカはその穴場にしゃがみこみ、雄ジカは立っている雌ジカの排尿器の匂いをかぎながらフレーメンのような行動をとりはじめた。しばらくすると、雄ジカが一頭の雌ジカを誘い出すかのように離れさせ、二頭のヘラジカはトウヒの木立の中に入っていった。自分の胸が鼓動を強くうちだしたのを感じた。ぼくはカメラを構え、目をファインダーに移し、その一瞬を待った。

八月から、約二カ月ヘラジカを追った自分が今報われようとしていた。五年間待った一瞬が目の前に迫っていた。侵入する雄ジカと戦い、けちらし、そして勝ち残った雄ジカが、その最後の仕事を終えようとしていた。二頭のヘラジカは立ち止まり、雄ジカは雌ジカの背に顔をのせた。しばらく静止した後、雄ジカはその後ろ足で一気に立ち上がり、その巨大な体が一瞬宙に浮きあがったように見えた。私のシャッターを押す指が震えた。

遠吠えは野生を誘う

アラスカに憧れていた一七、八歳のころ、アドルフ・ミューリーの『マッキンレー山のオオカミ』を何度も繰り返し読んだ記憶がある。一九四四年に出版されたこの本は、オオカミの生態に関するはじめての論文だとされていた。ムースやカリブーとの関わりも詳細にとらえており、ひとつひとつ確かな観察に基づくオオカミの全体像がリアルに描かれていた。しかし、当時の僕は「これは古典であり、過ぎ去った時代のことなのだ」と、そんな気持ちで読んでいたのを覚えている。

あれから十何年経った今、あらためてこの本を読み返してみると、非常に身近に感じるものがある。ミューリーがオオカミを求めて歩いたマッキンレーの山域は、今の自分がよく知っている土地であるからだ。何よりの驚きは、ミューリーが半世紀も前に観察したイーストフォーク峡谷のオオカミの巣穴に、現在もオオカミの群れがすみ続けているという事実である。おそらく、半世紀以上にわたってひとつの巣穴が受け継がれてきたのであろう。

現在、この谷は国立公園の規制により、研究者さえも簡単に入ることはできない聖域となっている。そのむかし、氷河が後退してできあがったというイーストフォーク峡谷を見下ろす景観はすばらしく、ここに立つたびにいいようのない興奮を覚える。この峡谷の奥地に、今も確実にオオカミの群れが生息している、と確信できるからかもしれない。

記憶に残るアラスカでのオオカミとの出会いのいくつかを思い起こしながら、以下簡単にふれてみたい。

一九八二年十月

冬眠前のグリズリーを撮影するため、南西アラスカの山に一カ月ほどキャンプをしていたときのことだ。ある夜、夕食を終え、いつものようにたき火をおこしてくつろいでいると、湖の対岸の山中からかすかに尾をひくような動物の鳴き声が聞こえてきた。遠かったので、はじめは何の音だかわからなかったが、すぐにオオカミの声だと気がついた。一頭かと思った遠吠えは、次第に数を増し、合唱になった。冬が近づいたので、オオカミは群れをつくりはじめたのだ。闇のなかで火を見つめながら彼らの遠吠えを聞いていると、感動に打ち震え、いても立ってもいられなくなった。遠吠えは、僕が本を読んでイメージしたそのままの想像どおりの声だったし、この感動を自分ひとりで味わうには、何とももったいないような気がしたのだ。その夜を境目に遠吠えは数日間止むことなく続き、群れが少しずつ自分のほうへ確実に近づいてくるのがはっきりとわかった。

ある日の午後、四頭のオオカミが河岸に沿って走ってくるのが目にはいった。その瞬間、オオカミも僕に気づいた様子で、ふたてに分かれて林のなかに消えていった。それから、五分もたたないうちに遠吠えがはじまり、先の四頭はそう遠くへは行っていないようだった。このときがオオカミの遠吠えをもっとも近い距離で聞いたときである。距離にしておよそ一〇〇メートル弱という近さだった。怖さなどみじんもなく、初冬の山々に染みいるようなオオカミの遠吠えに、ただただ聞き入るだけだった。

一九八四年四月

アラスカ山脈のルース氷河源流、周囲をぐるりと四〇〇〇～六〇〇〇メートル級の山々に囲まれた氷と岩石の世界。僕はムース・トゥース（〝ヘラジカの歯〟の意）という山の撮影のために、この氷河の源流に入っていた。

ある日のことだ。ふたりのアメリカ人登山家が、ハンティントンという山に挑むため、僕のいたルース氷河源流へやってきた。ハンティントン山は、おそらくアラスカでもピークをきわめるのがもっとも難しい山のひとつであろう。僕はこの山をどうしても間近で見たくて、ふたりに同行を申し出た。ふたりは快く承諾をしてくれ、翌日僕たちはザイルを組み、スキーをはいてさらに上部の氷河地帯へ入っていった。

あたりは生命のかけらもない、雪と氷の世界だ。そんな日の午後、ある足跡に出くわした。太陽の強い照り返しがある雪上に、くっきりと一条の線が目に入ったのだ。それはまっすぐ氷河を横ぎっていた。近づいてみると、それはまちがいなくオオカミの足跡だった。僕以外のふたりは、その足跡にあまり関心を示さず、すぐに歩きはじめてしまった。僕のなかにはしばらくたっても、そのときのことが頭から離れず、非常に不思議な思い出として残っている。その足跡の主は、なぜこんなところに迷いこんでしまったのか……、どう考えても迷いこんだとしか説明がつかないのだ。いわゆる食べものとなるべきものがまったく見あたらない世界での光景なのだから――。

一九八四年五月

毎年この時期になると、カリブーの春の季節移動を目的にアラスカ北極圏に入る。出発する直前、アラスカ大学の研究者から、「これからおまえが入ろうとしている地域で狂犬病にかかったオオカミの死体が見つかった。予防注射をうっていかないと、えらい目にあうぞ」という連絡が入った。だが、予防注射は何回かに分けて行わなければならないらしく、出発までの時間を考えると、カリブーの撮影に間にあわない。いろいろ考えた末、注射をうたずに出かけることに決めた。そのかわり、かならず銃を持っていくようにとの指示があった。

狂犬病にかかったオオカミは、無差別に嚙みついてくるといわれており、病気の伝染等を考えると、非常に危険な状態にある。願わくば、出会いたくないと思いつつ、現地へ向かった。

真夜中（といっても白夜の季節なので太陽は沈まない）に、川辺でたき火をしていると、雪原を走る黒い物体がかすかに見えた。オオカミだ！　向こうもすぐ僕に気づき、足を止めた。保身用の銃は二〇〇メートル離れたテントのなかに置いてある。黒いオオカミ（ブラック・ウルフ）は僕を見つめたまま動かない。しまった、と思った。あとにも先にも、オオカミを〝怖い〟と思ったのは、このときだけだ。まわりを見わたしてみたが、たき火の「火」ではとてもオオカミに太刀打ちできそうにない。だが、運がいいというか、オオカミは反対側へ走りはじめ、雪原のかなたへ消えていってしまった。僕はほっと胸をなでおろした。

人に危害をくわえるというのがオオカミの通説になっているようだが、僕には彼らはむしろ人を恐れているように見える。オオカミに襲われた人の話はアラスカでもよく聞くが、その多くは狂犬病などにおかされた個体の引き起こした事故が話のもとになっているように思う。人々に語り継がれていく過程で、話に尾ひれがついたものと思われるのだ。実際の彼らは、人影を見るやいなやすばやく立ち去ってしまう。彼らとの出会いはほんの一瞬のできごとでしかない。

一九八五年六月

ちょっとユニークな体験なのだが、場所はマッキンレー国立公園でのことである。撮影を無事終了し、コーヒーの湯をわかそうとコンロに火をつけ、僕は何気なく顔を上げた。すると、ほんの一〇メートルくらい先にじっと僕を見つめている一頭のオオカミがいる。なにかの見まちがいかと思ったが、そこにいるのはまぎれもなくオオカミであった。冬毛が抜け落ちたあとらしく、少しやせてみえた。とにかく写真を撮ろうと一〇〇ミリのレンズ（一〇〇ミリではなく一〇〇ミリ！）で撮りはじめた。あたりはもうまっ暗で、とにもかくにも祈るような気持ちでスローシャッターをきった。

と、そのときだ。フィルムを入れかえようと一台のカメラを地面に置いて、ザックから新しいフィルムを取り出そうとしていると、何を思ったのかオオカミがゆっくりとこちらへ近づいてきて、地面に置いてあったカメラのストラップをくわえ、そのまま持ち去ってしまったのだ。それも走って逃げるわけでもなく、トコトコと谷を下っていくのが見えた。僕はただあ然としていたのだが、持ち去られたカメラが購入したてのニコンのF3だと気づき、あわててそのオオカミのあとを追いかけた。僕に気がついたオオカミも走り出した。僕があわてふためいたことはいまさら説明するまでもないだろう。さすがにオオカミに高価なF3をあげるわけにはいかず、僕は走り続けた。しばらくすると、彼にはF3が重すぎた（？）のか、カメラを残雪の上に置いて、オオカミは走り去ってくれた。

あれはいったい何だったのだろうと、今も記憶に新しい事件（？）である。

われわれの生活のなかで大切な環境のひとつは、人間をとりまく生物の多様性であると僕はつねづね思っている。彼らの存在は、われわれ自身をほっとさせ、そして何より僕たちが何なのかを教えてくれるような気がする。一生のうちで、オオカミに出会える人はほんのひとにぎりにすぎないかもしれない。だが、出会える、出会えないは別にして、同じ地球上のどこかにオオカミのすんでいる世界があるということ、また、それを意識できるということは、とても貴重なことのように思える。それはもちろんオオカミだけに限ったことではない。

マッキンレー山のふもとに広がるイーストフォーク峡谷の奥地に、半世紀以上にわたって受け継がれているオオカミの巣穴がある——。その広大な谷を見下ろすとき、僕はからだの底から湧き出てくる不思議な力を感ぜずにはいられない。

極北の放浪者

北極海からまともに吹きつける風は、もう気が狂ったかのようだった。遮るものがないアラスカ北極圏の大地に、一メートル五〇センチほどの私のテントだけが露出し、まるで一手にこの風を受けとめているような気がしてくる。アルミのセンターポールは弓なりにしなり、テントはかろうじて立っていた。

五月のアラスカ北極圏。私は、カナダ北極圏から入ってくるであろう、カリブーの春の季節移動を待っていた。気の遠くなるような大地の広がりの中で、カリブーの季節移動に出会うことは、あらゆる状況を計算した上でも、最終的には賭けになる。その年の雪の量、きびしい冬であったか否か、そして雪解けの早さ……それらが複雑にからみ合い、ある日、カリブーは冬の生息地を離れ、長い旅に出る。彼らは一体どのルートをとり、出産のためにアラスカ北極圏に入ってゆくのか。私はベースキャンプをつくり、この広大なアラスカ北極圏の中で、点で待つしかない。

シュラフにもぐりこんだ。風が唸《うな》り声をあげている。もう二週間も待っているのだ。やはり、とんでもない賭けだったのだろうか。眠る前に、もう一度外を確かめようと思った。シュラフに入ったまま身体を乗りだし、テントの入口を開け顔を出した。強風が雪を拾い、地吹雪になって目が開けられない。山の頂上から稜線に沿って、何かがうごめいている。何だろう。目をこらすと、それは一列になり、まるで鎖のように山の麓まで伸びていた。私はあわててカメラをザックに詰めこみ、吹き飛ばされそうなテントのことも忘れて飛び出した。スノーシューを履いていても、深雪に足をとられ、気持ちばかりが先走る。川岸に着いた。ここからなら見渡せる。雪をかき分け、三脚を立てて座りこんだ。風の抵抗など受けるはずのない三脚が、手を離すと飛んでいきそうになる。先頭のカリブーはすでに川まで降りているのに、地吹雪で何も見えない。もう夜の十二時を回っているのに、オレンジ色の太陽が真正面に輝いている。白夜の北極圏、太陽はもう沈まない。一瞬、風の切れ目がブリザードのベールを払いとり、逆光の中で、川を渡ろうとするカリブーの行進がシルエットで浮かびあがった。地吹雪の中で、それぞれのカリブーが姿勢を低く構え、強風を真正面に受けている。

この時、野生動物の姿を、生まれて初めて見たという思いがした。

こんなふうに、何千年、何万年と、カリブーは極北の雪原を旅してきたのだろうと思った。この夜を境に、カリブーを包みこむ北方の自然にさらに魅かれていったのだろう。一九七九年、アラスカに移り住んで二年目の春だった。

私はいつからか、自分の生命と、自然とを切り離して考えることができなくなっていた。二〇代の初め、山で友人を失くしたことがひとつの引き金になったのかもしれない。

そのことで、私はもっと自然が好きになり、近づきたいと思ったのだろう。

私は、厳しい自然条件の中でひたむきに生きようとする、アラスカの生命の様が好きである。それは、強さと脆《もろ》さを秘めた、緊張感のある自然なのだ。

一滴の雨水もむだにせず、少々の水気と地表の暖かみだけで生きる地衣類。苛酷な極北のツンドラに咲こうとする小さな花。マイナス五〇度まで下がる酷寒の冬を、雪の穴ぐらで何も食べずにただひたすら春を待つハイイログマ。寒風吹きすさぶ雪原に産み落とされ、必死に立ち上がりながら生きようとするカリブーの仔……それは計り知れない強さだ。しかし全体としての生態系は、微妙なバランスで保たれた本当に脆い自然なのである。その食物連鎖の単純さに代表されるように、地球上で最も傷つきやすい自然だろう。その一つの鎖が途切れても、全体に回復することができない破局を与えてしまう。

カリブーの主要食物である地衣類は、公害基準のバロメーターになるほど大気汚染に弱い。その生長速度はきわめて遅く、一度破壊されると、わずか数センチの大きさに再生するのに五十〜百年かかるといわれている。これは、生存のためにカリブーが広大な土地を必要とする、一つの大きな理由だろう。

北極圏で始まろうとしている巨大な油田開発は、カリブーがきびしい冬を乗り越えてゆく鍵である地衣類に、どれだけの影響を与えてゆくのだろうか。そしてそこから派生してゆくものは、北極圏の生態系全体にどのような変化をもたらすのだろうか。

一〇〇〇キロにも及ぶ長い旅を繰り返しながら、北極圏をさまようカリブー。そして、その狩猟生活に関わる内陸エスキモーやインディアンの人々。

カリブーは、そこに生きる人の暮らしも含めた、極北の生態系の核のような気がする。

ある初夏の日、数万頭のカリブーがベースキャンプに現れた時のことを覚えている。全く起伏のないツンドラで、群れの全体を撮ることは難しかった。私はとうとうカメラを投げだし、このシーンを記憶に残しておこうと思った。やがて私は巨大なカリブーの群れに包まれてゆき、数万頭のひづめが奏でる音に、じっと耳を傾けていた。

マクニール川

クマはアラスカで広範囲に生息している。しかし、その姿をどこでも見られるわけではない。長い間山を歩いていても、クマに出くわすことはまれである。けれども、自然は時おり、奇跡的な場所をつくりあげてくれる。マクニール川がそれである。

カミシャック湾は、アンカレッジ南西二二〇マイルに位置し、マクニール川はこの湾に流れ込んでいる。その河口からわずか上流にマクニール川の小滝があり、毎夏、サケを求めてたくさんのブラウンベアが集まってくる。そして人間もまた、この信じられぬ光景を見に世界中からここを訪れるのである。銃も持たずに、である。こんな場所は他にどこを捜しても見つからない。マクニール川は、世界中の人びとが共有するひとつの財産のような気がする。

一九五〇年の初めまで、わずかなフィッシャーマン（漁師）を除いて、この滝の存在はまったく知られてはいなかった。しかし、毎夏マクニール川に集まるクマの話のうわさはゆっくりと広がり、やがてアラスカ州は、この地域のクマを保護してゆくため、一九五五年、この川に全面的な狩猟禁止令をだした。そして一九六七年、マクニール川は野生生物保護区に指定されたのである。それから今日に至るまで、毎年多くの人びとがこの川を訪れ、クマという野生動物をとおして、貴重な体験を得る機会を与えられてきた。しかし今この野生生物保護区の将来が危ぶまれる状況が生まれつつある。

その発端はコマーシャルフィッシング（商業漁業）である。マクニール川からわずか三マイルしか離れていないペイント川に人工的な滝を作り、サケの稚魚を放流し、ここを巨大なサケ漁の場所に変えてゆこうとする計画がもちあがったのだ。自然保護団体を中心とする大きな反対運動の中で、ペイント川プロジェクトは、この数年アラスカの環境問題の大きな焦点のひとつになってきた。もしこの計画が実現されれば、マクニール川野生生物保護区のクマの状況に大きなインパクトを与えるからである。

この保護区では、人間とクマの共存を目的としたさまざまなマネージメントがとられてきた。一九七三年に決められた新たな規制は、この保護区を訪れることができる人数を一日一〇人と制限した。約二十年にわたる行き届いたマネージメントは、サケを食べにこの川にやってくるクマに、人間の存在を受け入れさせることに成功したのである。その結果、人間が驚くべき近距離でクマの行動を観察することができるという、貴重な野生生物保護区となったのだ。そしてこの二十年の間、人間とクマの事故は記録されていない。

毎夏たくさんのクマがこの川に集まってくるのは、河口近くの滝の存在がサケの遡上を一時ストップさせ、クマにサケを獲りやすくさせているからである。そしてもうひとつの理由がある。それは、近域唯一の川であるペイント川が、サケが上ってこない川だということだ。これらの自然条件が絡み合い、マクニール川を世界でもまれに見るクマを観察することができる場所につくりあげているのである。

もしペイント川プロジェクトが実現されれば、この川に毎年一五〇万尾のサケが帰ってくることが期待されている。しかし今、漁業会社の冷凍庫はサケが飽和状態であるという現実、またこの数年に獲られた多くのサケの買い手がまだ見つかっていないという状況の中で、経済的にもこの漁業計画の価値はあるのだろうかと、プロジェクト反対運動の側からは疑問視されている。

そしてこの論争の焦点が、マクニール川のクマの行動に変化を与えるであろうことはいうまでもない。ペイント川プロジェクトは、わずか二万尾のサケしか遡上してこないマクニール川から多くのクマを去らせることになるだろう。ペイント川に移動したクマは、そこに作られた人工的な滝の前に群れるサケをマクニール川と同じように獲ろうとするだろう。しかしそこは野生生物保護区ではない。たくさんの漁師が働く場所で、当然のごとく人間とクマはぶつかり合うだろう。なぜなら二十年近くマクニール川で人間を受け入れてきたクマは、そこがどこであろうと、まったく同じような行動をするだろうからだ。しかし野生生物保護区で学習した行動は、ひとたびそこを出れば逆に作用してゆくというパラドックスがある。人間とクマの間で約束されたおたがいの距離は、保護区外では人間に銃の引き金をひかせる距離なのである。

野生生物保護区と同じような、行き届いたマネージメントがなされていないペイント川では、たとえば、人びとは食料の保管に気を使わないだろう。マクニール川ではあり得なかった状況の中で、クマは悪い行動（クマにとっては当然の行動）を学習してゆくに違いない。長い時間をかけてつくりあげられたマクニール川における人間とクマとの関係は、ここにきて危機的な状況に裏返されようとしている。そして、環境アセスメントもなされないまま、ペイント川プロジェクトは進みつつあるのだ。

昨年、マクニール川に人びとがクマを観察にくるということが、どれだけ経済的な利潤を地域に与えてゆけるかという調査が行われた。ペイント川プロジェクトの論争の中で生まれた調査のひとつだと思う。しかしその結果が、マクニール川野生生物保護区の存在理由にどれほどの意味をもつのだろうか。世界でも例のないこの川の存在価値が、どうして経済的利潤で計ることができるのだろうか。

人びとはこの川を訪れ、サケの群れが必死に滝を遡上してゆく光景に圧倒され、そのサケを獲るクマという生き物を目の前で見る。それは本でも、テレビでもない世界である。その貴重な体験は、マクニール川を訪れた人びとにどれほど大きな心の財産を与えてゆくことだろう。

五月十四日、ペイント川プロジェクト論争の判決がいい渡され、反対側の訴訟は退けられた。ペイント川に最初のサケが遡上する時、世界的な財産であるマクニール川の自然はおそらく変わり始めてゆくだろう。

ナヌーク

地吹雪なのか、ブリザードなのか、風が唸りながら、あたりは雪煙で渦まいている。体感気温はマイナス一〇〇度を超えているだろう。時おり風の力が失せ、雪煙がスーッと引いてゆくと、うずくまるナヌークの親子の輪郭が、かすかな灰色に浮かび上がってくる。そして風は思い出したように戻ってきて、あたりは再び混沌とした白いベールに包まれてしまうのだ。

十一月、北極海へと続くこの海は、どんどんと厚い氷が張り出している。氷海が消えてしまった七月から、ナヌークの親子はすっかり陸に閉じこめられ、もう長い間アザラシを食べていない。凍ってゆく氷海にアザラシは呼吸穴を開け続け、ナヌークはその呼吸穴でアザラシをじっと待つ。つまり、北極海の氷の均衡にナヌークは生かされているのだ。が、夏の間、彼らは海岸線を旅しながら、打ち上げられた死骸、鳥の卵などを食べて飢えをしのいできた。このナヌークの親子も、浜辺の雪を掘りおこしてはケルプをむさぼっている。しかし、冬が、ナヌークの季節がもう近づいている。氷の状態をたしかめようとしているのか、張り出しつつある氷原の先まで毎日のように出かけてゆくナヌークの親子の姿に、私は彼らの遠い氷海への想いを感じとっていた。

ナヌーク。それは、エスキモーの人々がホッキョクグマを呼ぶ名である。

子どもの頃、現実なのか空想の世界なのか、どちらともはっきりしないまま抱き続けた生きものたちがいた。たとえばそれはオオカミ、そしてホッキョクグマもまたそのような存在だった。氷の世界に生きるクマがいる……それはどう考えても、非現実な、物語の世界だった。

一九八四年の春、私はポイントホープというエスキモーの村で、クジラ漁のキャンプに参加していた。キャンプとはいえ、そこは絶えず動き続けている北極海の氷原である。リード（風と潮流で開いた氷に囲まれた海）に沿って、南からやってくるホッキョククセミクジラを待ちながら、私たちは数週間も氷上で過ごしていた。

ある日の夕暮れ、私はキャンプを離れ、乱氷上を散歩に出かけた。どこまでも広がる氷原は、このすぐ下が北極海であることを忘れさせた。しばらくゆくと、氷原の彼方で何やら動いているものがいる。点のような距離だが、それはまっすぐこちらに向かってくるではないか。エスキモーの仲間だろうか。生命のかけらもないような氷の世界に、他に誰を想像できるだろう。私は目をこらして、少しずつ姿をはっきりとさせてくるその生きものを見つめていた。突然、胸の高鳴りとともに、空想の世界のホッキョクグマがはっきりとした輪郭をもって目の前に現れてきた。

私は走ってキャンプに戻り、〝ホッキョクグマがやって来る！〟と息せききりながらエスキモーたちに伝えた。初めて見た興奮と、誰よりも最初に見つけた子どもじみた誇りで、私の身体は火照《ほて》っていた。

　ホッキョクグマは何を思っているのか、まっすぐに私たちのキャンプに近づいて来た。エスキモーの若者が、すでに乱氷のかげに隠れている。後で思い返せば、ただエスキモーの食料であるシールオイル（アザラシの脂）の匂いをたどってきただけなのだ。キャンプはシーンと静まり返り、人々が見守る中、やがて緊張の糸が切れるように、銃声が氷原に響き渡った。

　血に染まった氷原で、巨大なナヌークは手ぎわよく解体されると、若者はその肉をもって村へ戻った。もう猟に行けなくなった村の年寄りたちに、ナヌークの肉は最初に届けられるのだ。それはエスキモーの若者にとってどれほど誇り高い行為なのだろう。同じ氷海で、同じアザラシという生きものを、同じ方法で獲り続けてきた人間とナヌーク。人々の暮らしをとりまく北極の自然の中で、ホッキョクグマほど畏敬され、そして畏怖されてきた生きものはいないにちがいない。

　風が静まり、十一月の短い陽はもうすぐ落ちようとしている。ナヌークの親子は、授乳を終えると、雪のベッドで寄りそうように眠り始めていた。あと一カ月もすれば、彼らは遠い氷海をさまよっているのだろう。そこは人間を寄せつけることはない、本当に遠い世界なのだろう。

　ホッキョクグマの聖域……暗黒の冬、激しくオーロラが舞う下で、アザラシの呼吸穴をじっと見つめるナヌークの親子がいる。

ワタリガラスの神話を捜して

この四〜五年、東南アラスカの自然を撮り続けています。原生森林、氷河、クジラがテーマです。いつかこの世界をまとめたいと思っているのですが、長い間、その方法がわかりませんでした。つまりこの世界の核となるものを捜していたのです。いつもそのことを考えていると、いつかその答が出てくるものです。昨年、ふとそのことに気が付きました。それは、ワタリガラスでした。

東南アラスカは、かつてトーテムポールの文化を築き上げたクリンギット族、ハイダ族の世界です。そして彼らの神話に出てくるワタリガラスという生き物は、この世界の創造主であり、インディアンの人々の精神世界の核を成すものです。しかし次の問題が出てきました。ワタリガラスという抽象的なテーマとどんなふうに取り組んだらいいのか、ということです。単なる昔話ではなく、現代とどのようにつなげていけるのか、そのきっかけが、どうしてもわからなかったのです。

今年の四月のことでした。僕は東南アラスカのシトカという町へ友人を訪ねました。

リチャード・ネルソンという作家です。それは自分がワタリガラスというテーマで旅を始めようとした、第一日目でした。

リチャードの車に乗って小さなシトカの町を走っていると、彼が通りを歩いている知人を見つけたようで、しばらく車を止めようかどうか迷っているようでした。つまり僕に紹介しようかどうか、考えていたのでしょう。僕は今、彼の直感に感謝をせずにはいられません。

通りを歩いていた男はインディアンで、その歩き方は、何か酔っ払っているようにフワフワとしていました。車を止め、友人が名を呼んでも聞こえている様子はありません。その男が路地を曲がろうとする所で、やっと私たちは追いつきました。

「ボブ、紹介したい友人がいるんだ」

と、リチャードが話しかけると、そのインディアンは表情ひとつ変えずに言ったのです。「昨日、墓地でワタリガラスの巣を見つけたよ……」

それがボブ・サムとの出会いでした。

翌日、ボブは僕をその墓地に連れて行ってくれ、ワタリガラスの巣を見せてくれました。実はこの墓地とボブは深いつながりがあったのです。それは彼の若い時代からの話から始めなければなりません。

シトカで生まれたボブ・サムは（僕と同じ一九五二年生まれ）、ある種のアラスカ先住民の若者たちがたどるように、新しい時代とのはざまで、酒と薬におぼれていきました。その当時ボブは、アラスカ中を浮浪者のように転々としていました。〝それは悲惨な時だった〟とボブは言っています。彼はとても寡黙で、必要なこと以外はほとんどしゃべらないような静かな人間ですが、私たちが少しずつ知り合って行くなかで、ポツリ、ポツリと昔のことを話してくれたのです。

一九七〇年代の中頃、ボブはフェアバンクスにいました。その当時、フェアバンクスのもうひとつの世界では、アラスカの様々な場所から流れてきたインディアンのグループと警察との争いが絶えませんでした。ことにインディアンを差別視する警察との抗争は激しかったといいます。インディアンといっても、様々な種族がありますが、それがひとつにまとまって団結していたのでした。

ボブ・サムは、やがてそのグループの中心人物になっていきました。何かを計画する時の、彼の頭の良さと人柄を皆が慕っていたのです。物静かなボブですが、彼がそういう立場になっていったのがよくわかります。若者たちはどんな場合でもボブを守っていたようです。やがてボブはＦＢＩにさえマークされ、ある日フェアバンクスで捕まえられ、徹底的なリンチを受けた後、この町から放り出されてしまったのです。そのリンチのやり方は決して身体に痕が残らない巧妙な方法だったと、ボブは苦笑しながら回想していました。

生まれ故郷のシトカに戻ったボブは、これまで近づくことが出来なかったクリンギット族の古老たちと初めて向き合っていったそうです。

「それまで古老たちの中にいると、その力に圧倒されて顔もまともに見られなかった……。そして彼らはオレに人間を許すということを教えてくれた……」

その当時、シトカの古いロシア人墓地で住宅建設の工事が始まろうとしていました。もう半世紀近くも誰も手入れをしなかった森の中のその墓地は、手が付けられないほど荒れていました。つまりその上に住宅地を作ろうとしていたのです。ボブがシトカに戻った時には、その工事はすでに始まっていました。墓地の一部は掘り起こされ、あたりの草むらには、骨が散らばっていました。ボブは毎日のようにそこにやって来て、その骨のひとつひとつを土の中に埋めていったのです。やがて彼の行動がシトカの町で大論争を引き起こしてゆくのです。

そしてついに住宅建設にストップがかかったのでした。そのロシア人墓地は、実はそれ以前、一千年以上もの間、クリンギット族の、神聖なる墓地だったのです。ボブ・サムは、それから十年という歳月をかけて、たった一人でコツコツと掃除をしながら、そこを見違えるような墓地に変えていったのでした。誰が頼んだわけでも、お金を払ったわけでもありません。それはボブの気持ちがゆっくり癒されていった時間でした。やがてボブは、遠い祖先の人々と語り始めました。毎日毎日墓地で過ごした十年間だけが自分の世界だったのです。

ある日、僕はボブに尋ねました。

「ボブはどこのクランなの？」

クランとは、家系のようなもので、東南アラスカのインディアンの神話では、どの家系の始まりも動物の化身であり、それは現在でもクリンギット族、ハイダ族の社会構成の柱を成しています。そしてボブは答えました。

「ワタリガラスだよ……」

ああ、やっぱり、と僕は思いました。

僕はこれまでボブほどスピリチュアルな人間に会ったことがありません。東南アラスカを旅しながら、伝統的な踊りを保存しようとする多くのクリンギット族の若者とも会いました。それはそれで大切なことだと思います。しかし、彼らの中にボブのようなスピリチュアルな世界を感じたことがなかったのです。

ボブの風貌《ふうぼう》、身なり、何か別の世界に生きているような気配は、人々から変人だと思われても不思議ではありません。しかし、シトカで会った誰もがボブのことを知っていて、どこか嬉しそうに話すのです。

「ああ、ボブのことは知っているよ」

そして、彼と一緒に歩いていると、通りで遊んでいる子どもたちが話しかけてくるのです。

「こんにちは、ボブ！」と……。

僕は不思議な気持ちにとらわれていたのです。つまり十年という歳月をかけて癒されていったボブの存在が、実はシトカの町の人々の心を癒していったのではないかと……。

僕は今、ボブ・サムと一緒に旅を始めています。現代に生きているワタリガラスの神話を捜す旅です。六月には二人でカナダのクイーンシャーロット島へ出かけました。そこは神話の時代に生きたハイダ族の最後のトーテムポールが残っている島です。僕はボブ・サムという同じ年の一人のインディアンを通して、少しずつワタリガラスの世界を見始めているような気がします。

南東アラスカの旅について

南東アラスカは、森と氷河に囲まれた素晴らしい世界です。森はあまりに深く、氷河がその周りをびっしり覆い、その中にはまったく道がないため、アラスカの観光ルートからは少し外れるかもしれませんが、その手付かずの自然の大きさには、ただ圧倒されるのです。

その南東アラスカを旅するいい方法があります。アラスカで暮らしている人の中でさえ、あまり知られていない方法……それは、森林局の山小屋を利用することです。

アラスカの森林局は、広大な南東アラスカの森の中に、一五〇以上の小さな山小屋を持っています。一般の人々が利用するためのものです。この山小屋の素晴らしさは、どの山小屋も原野の、つまり深い森の中にポツンとあり、そこへ行くには水上飛行機かボートを使うしかないこと。そしてほとんどの山小屋は、湖のほとりにあり、眺めがとても美しいのです。川があればたくさんのサケが上ってきます。フィッシングの天国です。

山小屋は一週間まで予約することができ、予約した人しか泊まることができません。つまり本当に深い森の湖のほとりで、自分たちだけで過ごすことができるのです。特に家族で行くなら最高です。人気《ひとけ》のない、真のアラスカの自然を体験することができます。

山小屋は何人泊まっても、一泊わずか二五ドルです。シンプルですが、清潔な山小屋です。寝袋、料理道具、食料……は自分で持って行かなければなりません。オイルストーブは付いています。小屋は丸太小屋か、Ａフレームと言って三角形の山小屋です。ロフトは付いているので、七〜八人は楽に寝ることができます。

そこは本当に大自然の中なので、クマはどこかに必ずいます。でもそれほど心配することはありません。どの小屋の周辺もある程度ハイキングができるように小さな道があるはずです。ボートが置いてある小屋もあります。

何年か前に、日本の友達の家族と、この森林局の山小屋で一週間過ごしたことがあります。小学生の子供たちは、朝、小屋の前で歯をみがいていると、森の中からブラックベアの親子が現れ、目の前をゆうゆうと歩いていくのをびっくりして眺めていました。川はちょうど産卵のために遡上してきたサケでいっぱいで、手づかみで取ることができるのです。日本からアラスカへ来て、他はどこへも行かず、この山小屋だけで旅を終えたのですが、とてもゆっくりした時間が過ごせたと思います。

アラスカの旅で一番失敗することは、短期間にいろいろな場所へ行こうとすることです。森林局の山小屋でゆっくり過ごすのは、本当にぜいたくな旅になるでしょう。特に子供連れの家族の旅としておすすめです。いたれり尽くせりの旅とはまったく反対で、ちょっと冒険もありますが、絶対に素晴らしい旅になります。

予約は百七十九日前からできます。人気のある山小屋は早い時期に埋ってしまいますが、全体で一五〇以上あるのでご心配なく。外国人でもだれでも利用できますが、ほとんど知られていないので、利用しているのは一部のアラスカの人々だけです。きっとみんなに知られたくないのかもしれませんね。

行ってみたいと思う人は相談にのります。オーロラクラブまでお問い合わせください。

文集「あらすか」序文

三月のルース氷河は、まだきびしいアラスカの冬です。この旅は、子どもたちにとって決して楽な旅ではなかったと思います。誰もけがをせず、無事に旅が終わったこと、今、心からほっとしています。

この旅で、何を感じ、どんな思い出をもったか、子どもたちが報告書に文章を寄せてくれました。ただ僕は、今ではなく、もっと時間がたった時、五年後、十年後に、そのことをもう一度聞いてみたいなと思います。ひとつの体験が、その人間の中で何かを形づくるまでに、少し時間が必要な気がするのです。

子どもたちにすばらしい風景を見せてあげること、それは、ルース氷河でもアラスカである必要もありません。日本にだってすばらしい場所がたくさんあるからです。けれども、僕は、毎年オーロラの撮影のためにこの氷河に入りながら、どうしてもこの世界を誰かに見せてあげたくてなりませんでした。

ルース氷河は、雪、氷、岩だけの、壮大な、そして無機質な山の世界です。あふれる情報の海の中で暮らす今の日本の子どもたちにとって、それは逆の世界です。テレビも、コンピューターゲームもマンガもありません。何もないかわりに、そこにはシーンとした宇宙の気配があります。氷河の上で過ごす夜の静けさ、風の冷たさ、星の輝き……情報が少ないということは、ある力を秘めています。それは、人間に、何かを想像する機会を与えてくれるからです。そして、もしそこでオーロラを見ることができたら、何て貴重な体験になるだろうと思いました。

子どもの頃に見た風景が、ずっと心の中に残ることがあります。ルース氷河で見た壮大な自然が、そんな心の風景になってくれたらと願います。いつか大人になり、さまざまな人生の岐路に立った時、人の言葉ではなく、いつか見た風景に励まされたり、勇気を与えられたりすることがきっとあるような気がするからです。

この計画は、多くの人の協力に支えられながら実現することができました。本当にありがとうございました。まだ、やっと第一歩です。今回の経験、反省点をふまえ、少しずつ進んでゆければと思います。

（一九九三年一月二十五日）

＊

二年目のオーロラの旅は、ルース氷河から場所を移し、フェアバンクスの北に位置するホワイトマウンテンで行いました。ここは、フェアバンクスの人々が、犬ゾリやクロスカントリースキーで旅をする山域です。ルース氷河のような高山ではなく、氷河もありませんが、子どもたちがのびのびと旅を楽しめたような気がします。

わずか一日の練習のあと、山小屋まで約一〇キロのクロスカントリースキーは、子どもたちにとって少し大変だったかもしれません。しかし帰りの子どもたちの上達ぶりをみると、報われるような思いでした。何より子どもたちがクロスカントリースキーの楽しさを知ったこと、それが嬉しいことでした。

クロスカントリースキーには、ゲレンデスキーと違う楽しさがあります。登りの苦しさがあるため、そのあとのわずかな下りが心地良いのです。そしてゆっくりだからこそ、自然をじっくり見てゆけるのです。

疲れ果てて山小屋にたどり着いた最初の夜、すばらしいオーロラが夜空を舞いました。アラスカに暮らす自分でさえ、あんなにすごいオーロラはめったに見られません。そして、同じオーロラをフェアバンクスのホテルから見るのとは、やはり違う体験のような気がするのです。あの晩、あの場所で、皆で一緒にオーロラを見たこと、それを心の片すみでいいから、これからの人生の宝物としていってくれたらと願います。

〝オーロラを見る子どもたちの旅〟は、今年でまだ二年目です。少しずつでも、毎年、前進してゆきたいと思っています。そして、たとえオーロラが見えなくても、子どもたちの心に残る旅をつくってゆきたいと考えています。


（一九九三年十二月一日）

＊

今年は天候が悪く、ルース氷河に入ることが出来ませんでした。山は目の前にあるのに、どうしようもありませんでした。しかしアラスカではこんなことはあたりまえのことです。そんな時、人々はこんなふうに言います。

Mother nature runs a show in Alaska, not us.

（アラスカでは、人間ではなく、マザーネーチャーがドラマを進めてゆく）

予定通りに事が運べばそれは幸運だったわけで、そうでなければ、悪い状況の中で新しい最善の方法を見つけなければなりません。つまり自然は、自分が思うように物事がうまく進まないことを教えてくれます。けれども、短い子どもたちの旅で、その教訓を理解させようとするのは酷なような気がします。が、ルース氷河に入れなかったために、私たちは原野で暮らすマイク一家と出会うことができました。アメリカ本土からアラスカにやって来て、新しい生活が始まったばかりの家族です。かつて「アドベンチャー・ファミリー」という映画がありましたが、私たちは映画ではなく、本当の家族と知り合うことができました。

先日お父さんのマイクから手紙をもらいましたが、日本の子どもたちと過ごした数日間がどれほど家族にとって素晴らしい時間だったかが書かれていました。それは私たちにとっても同じだと思います。きびしい自然の中で、質素に暮らすマイク一家の風景が、子どもたちの目にどんなふうに焼きついたのだろうかと考えます。

私たちはルース氷河に入れませんでした。しかし世の中はさまざまなからくりに満ち、人の出会いの不思議さを教えてくれます。いつかみんながもう少し大きくなり、ひとりでザックをかついでアラスカに来た時、原野に生きるマイク一家を訪ねたらいいと思います。

（一九九四年十一月）

＊

今年は天気に恵まれたルース氷河でした。それはまず予定通りに初日にルース氷河に入れたことです。タルキートナからわずか三十分の飛行なのに、天気が崩れれば一週間も入れないことだってあります。私たちの旅は日程が限られているため、天候に大きく左右されてしまうのです。

そして私たちがルース氷河に入っている間に、マッキンレー山が見える晴天の日をもてたことも幸運でした。たった一日でも、いや一時間でもいいから、山小屋からのぞむ圧倒的なルース氷河の空間の広がりを見せてあげたいからです。

そしてもうひとつの幸運は吹雪の日があったことです。強風と大雪でテントがつぶされそうになるほどの吹雪でしたが、高山のきびしい自然を体験できたことは、晴れ続けるよりむしろずっと良かったような気がします。そんな時、いつでも逃げこむことができるシェルドン小屋の存在の有り難さを思います。

私たちが使っているこの山小屋は、アラスカの伝説的なブッシュパイロット、ドン・シェルドンが残したものです。ドン・シェルドンはとても会いたかった人ですが、私がアラスカに移り住む前の一九七五年に亡くなりました。この夏、ドン・シェルドンの取材のためにタルキートナを訪れ、私たちのプロジェクトを理解してくれているロバータ（ドン・シェルドンの未亡人）とゆっくり話をしました。日本の子どもたちはドン・シェルドンのことなど何も知らないわけですが、自分が憧れたこのブッシュパイロットと子どもたちが今どこかでつながっているということが何か嬉しく思えます。

この時、私たちが定宿とするタルキートナ・ロードハウスのマーティとゆっくり話をしました。オーロラツアーの時はいつもドタバタしていて落ち着いて話をしたことがなかったのです。そして今さらながらに思うのですが、私たちが泊まるこのタルキートナ・ロードハウスは何てすばらしい宿だろうと思います。私たちを同じ家族のようにいつもてなしてくれるからです。マーティの奥さんのリン、そして二人の子どもたち……このファミリーがかもしだすアラスカの匂いが私はとても好きです。今年で四回目のオーロラツアーでしたが、さまざまな人々に支えられていることを感じずにはいられませんでした。


（一九九五年十二月）

V

「アラスカ　風のような物語」から

ベリー・ギルバート

「ベリー、あの事故以来、クマに対する見方が変わったろうね」

新雪の山道を歩きながら聞いた。雪にプリントされてゆく僕たちの足跡が、時折、クマの足跡に交叉してゆく。あたりに少し気を配りだした。

「それがあまり変わっていないんだ」

ベリーは不自由な片目で微笑しながら言った。僕たちは冬眠前のクマの観察を南西アラスカのカトマイで続けていた。

ベリー・ギルバート。ユタ州立大学の動物学の教授である。一九七七年六月、イエローストーン国立公園でグリズリーの調査中、ベリーは子連れの母グマに襲われる。ヘリコプターと奇跡的に早い救出活動により一命を取り止めたが、九〇〇針を縫い、左目を含む顔の半分を失った。その時のことを、ベリーはこんなふうに回想している。

「観察をしていたクマの位置を見失ってから、すぐ目の前に来ていることに気がついた。とにかく距離をあけなければと思い、近くの木に向かって走った。途中で追いつかれ、草むらの中に飛び込んだが、クマは自分の頭をすでにかみ始めていた。その時の気持ちは表現できない……」

それから十年がたち、ベリーはアラスカで再びクマの研究を始めようとしている。テーマは、「人間とクマの共存」。

「……動物の脳というのは、気の遠くなるような時間をかけて作られた一冊の本なのだと思う。その中に、どこかで人間がいるんだ。関わってきたんだからね」

ある晩、ストーブにあたりながら、ベリーは自分の自然観を話し始めた。

「生物の種が消えてゆくということは、人間が自分たちのことを知る図書室から、一冊ずつ本をなくしてゆくことなんだ。ミステリアスなパズルを解く鍵をひとつずつ落としてしまうことなんだよ」

ベリーの話から、かつて自然からほとんど命を奪われそうになった過去を見ることはむずかしかった。

ただ一度こんなことがあった。ボートからクマの親子を観察している時、子グマが水の中に入ってこようとした。ベリーは少し異常にあわてた。僕たちはボートの中にいて安全なはずだった。

ハバード氷河

一九八四年のこと。

ヤクタットというアラスカ南部の小さな漁村にいた。ハバード氷河の近くまでボートで運んでくれる人を探していたのだ。この氷河をずっと以前から見たかった。複雑に入り組んだヤクタット湾の奥に潜むハバード氷河は、これまでほとんど人の目に触れることがなかったに違いない。

四〇歳前後の村のおばさんが、ボートで連れていってくれることになった。腕の太さが僕の二倍もあった。しかし、彼女もこの氷河までは行ったことがないらしい。

ヤクタットを出て約二時間。長い入り江を奥に進んでいくと、前方は次第に氷塊で埋められていき、水路を見つけていくのが困難になってきた。

「大丈夫かなあ。もし危険だったら引き揚げよう。判断はまかせるから」

「心配ないと思うよ。氷河まで、もうそんなに距離はないから……」

実際、氷河はもう目の前だった。ハバード氷河の壁は、高層ビルの高さで威圧し、浮氷が海を埋め尽くしていた。ほとんど氷点に近いこの海に落ちたら、生き延びられるのはおそらく十五分だろう。

氷河前方にある浜辺に上陸する。荷物をボートから下ろしているときだった。突然、爆発音とともに、連鎖反応のように氷河の壁全体が崩れ始めた。逃げなければならない。小さな津波がすでに真っすぐこちらに向かってくる。しかし、エンジンがなぜかかからないのだ。僕らはパニックになった。

大波は、崩壊から数分後に押し寄せ、ボートをさらっていった。ずぶ濡れになりながら、なんとか荷物だけは救うことができた。僕は速い潮流に流されてゆくボートを呆然と見つめていた。彼女は、恐怖とボートを失ったショックで泣きじゃくっている。火をおこし、体を温めなければならなかった。夜になり、ヤクタットから救援のボートが来る。彼女は助けられ、僕はその場に残ることになった。

一週間の間、ハバード氷河の凄まじい崩壊を見続けた。崩壊のたびに地面が揺れ、浜辺に押し寄せる大波は、時折、失神した魚を残していった。もちろん、夕食のおかずとなる。カモメもまた、氷河の崩れ落ちた海面に殺到していった。

夜、浜辺に座り、満天の星の下で氷河のきしむ音や崩れ落ちる音を聴く。すべてのものが動き続け、変化しているのだと思った。

それから二年後、この氷河は突然前進し始め、あっという間にヤクタット湾を二分してしまうことになる。氷河としては考えられないスピードで流れ出したのだ。一時、海は湖に変わり、たくさんの海洋生物が閉じこめられた。今、世界中の氷河学者たちが、熱い視線でこの氷河の行方を見守っている。ヤクタットのあのおばさんは、もう二度とこの氷河には近づかないだろう。

あのとき、僕がテントを張った地面は、今は氷河の下である。

少女・アーナ

迷ったようだ。どうしても見つからない。

「山ぞいにもう一度戻ってみよう。どこかに湖があるはずだ」

キースが叫んだ。僕もアノアもアルーニャも、そして犬たちも機関車のように同じ白い息を吐いている。早春の季節だというのに、しっかり冬の寒さだ。なんてことだろう。友だちの家が見つからないとは。

僕は友人の家族と西部ブルックス山脈の谷あいにいた。春浅い四月のアラスカ北極圏。微風が頬を刺すように痛い。深雪の上に、たくさんのカリブーの足跡が走っている。春の季節移動が始まっているのだ。

友人の家族とは、コバック川流域に住む、キース・ジョーンズ一家。奥さんのアノアと、一三歳のアルーニャが一緒だった。アルーニャは、赤ん坊のころにキースとアノアが引き取ったエスキモーの養子である。

アラスカにはさまざまな人間がやって来た。その中に、それまでの価値観を捨て、先住者の生活から学び、それを引き継いでゆこうとする人々がいる。彼らはアラスカの表舞台には出てこない。キースも、訪ねようとしているダグ・ケーン一家も、この土地のエスキモーから多くのことを学び、原野の暮らしを続けてきた家族である。

再び犬ゾリを走らせる。やっと凍結した湖にぶつかり、まっすぐ突っ切ると、丘の上から煙が立ち昇っているのが見えた。

ダグの家は土でできていた。正確にいうと、丸太の枠組みの上にツンドラの苔を厚くかぶせてある。貯蔵小屋にカリブーの皮が三枚干してあった。土で囲ったトンネルのような家の入り口に立つと、雪で埋まったブルックス山脈の広大な谷が一望に見渡せた。

「今年は雪が多い。カリブーはもう動き始めてるなあ」

ダグの日に焼けた顔のしわが、そのままこれまでの原野の生活を語っていた。

「お腹がすいたでしょう。カリブーのシチューと、アーナがけさ焼いたパンがあるわ」

奥さんのクリスティーンは、暮らしの様相とは裏腹の、少女のような人だった。何げなく置いたシールオイル（エスキモーの食生活になくてはならぬアザラシの脂を溶かしたもの）が、彼らの生活とこの土地とのかかわりの深さを語っていた。

九歳の娘、アーナに会う。野性的な目をしている。アーナはアルーニャを誘い、犬ゾリでどこかへ出かけようと話している。アーナがけさ焼いたというパンを食べながら、あることを考え始めていた。

外に出ると、アーナは暴れまわる犬たちを巧みに並べさせ、犬ゾリ用の首輪をつけている。それは九歳の少女としては、たくましすぎるほどの風景だった。学校も行ったことがない。友達がきっと欲しいだろう。

年上のアルーニャをソリに乗せ、かけ声とともに走り去ってゆくアーナを、僕はずっと見ていた。原野の暮らしとは、どんな生活でもそうであるように、プラスとマイナスの面が内在している。アーナはどんな娘に成長してゆくのだろうか。アーナの走らせる犬ゾリは点となり、凍結した湖を越え、雪の原野の中に消えていった。

その冬、ダグに一通の手紙を書いた。アーナの成長過程を撮らせてくれないかと。ダグがこの手紙を受け取るのは、クリスマスの郵便を取りにコバック川に下りてくる、一カ月後のことだろうと思った。

アラスカ・グレイブストーン（墓標）

●ピーター・マッキース。イギリスから来た留学生で、アラスカ大学大学院で氷河学を専攻する。アラスカ山岳会の中心人物となる。

写真が好きで、僕たちは会えばアラスカの山と写真の話をした。ピーターの撮る花の写真が好きだった。光の使い方が見事で、趣味でやらせているのが惜しいと思った。

一九七九年、アラスカ山脈にて雪崩で死亡。メモリアル（追悼式）で、ピーターの撮った写真が壁中に貼られ、好きだったブルーグラスが流れていた。

●ビル・ルース。動物カメラマン。同じ仕事仲間として、毎秋マッキンレー国立公園にてともに過ごす。静かで、それでいて独特なユーモアのセンスをもった好漢だった。ものまねが得意でいつも皆を笑わせる。

　何年もかけて作っていた見事な丸太小屋がやっと出来上がった一九八三年、アラスカハイウェーにて自動車事故により死亡。ムースを見るのが好きだった。ビルがよく登った、イグルー峡谷の丘の上に仲間で灰を埋める。
●フランシス・ランドール。登山家であり、バイオリニストであるという、スーパーレディーだった。
　夏の間は、アラスカ山脈のカヒルトナ氷河上に大きなキャンバステントを張り、マッキンレーを登ろうとする世界中の登山者の面倒を見た。カヒルトナ氷河の花だった。日本人の登山者のために日本語を勉強し、緊急事態の日本語をトランシーバーでキャッチできることをとても喜んでいた。

　僕は、彼女のフェアバンクスの丸太小屋に、夏の間住んだ。冬になると、フランシスはフェアバンクス・シンフォニーでバイオリンを弾いた。

　一九八四年秋、がんであることを知った。その冬、最期に好きだったニューヨークに飛び、一日中散歩をして、翌日死亡。フェアバンクスで、音楽家のためのフランシス・ランドール基金が設立された。

セスナの音

小型飛行機のプロペラ音が好きだ。アラスカの旅の中で、いつもこの音を待っていた気がする。

カリブーの撮影のため、春のアラスカ北極圏に入る。セスナにスキーをつける。雪解けが始まる前にベースキャンプを設営しなければならない。いったん雪がゆるみだすと、もうスキーをつけたセスナでも降りられなくなるからだ。雪が完全に解け、地面が固まるまで約二週間。そして、やっと車輪で降りられるのだ。その間、僕のベースキャンプは陸の孤島になる。何かあっても誰も助けに来ることはできない。

今年は雪解けが早かった。フォートユーコンというインディアンの村を飛びたち、二時間以上かけて目的の谷に着く。しかし、降りる場所がどこにもない。いくつかのスポットを何度も旋回するが、どうしても雪の量が少ない。危険を冒すことはできないが、何とかランディングして欲しかった。カリブーの季節移動がもう始まっている。

「難しそう?」

「駄目だな。川の氷をトライしてみよう」

僕たちはマイクとヘッドホンで話をしている。こうしなければプロペラ音で何も聞こえないのだ。

凍結した川を試してみることにする。しかし、川だって雪解けは始まっている。どのくらい氷の厚さがあるだろうか。硬さはどうだろうか。

いざ下降してゆくと、十分な距離のある氷面が見つからない。おまけに曇りなので表面の凹凸がはっきり見えない。思いきり低空飛行してゆく。少し上流に飛ぶと、何とか可能性のある場所が視界に入った。

「やってみるか？」

「ラストチャンスだろ。燃料は大丈夫？」

谷に入ってから、もう一時間近くもランディングの場所を探しながら飛び回っている。パイロットの帰りの燃料が気になっていた。

テストランディングしてみる。かするような滑走をして氷の状態を見、そのまますぐ飛びたつのだ。一〇回近く繰り返しただろうか。

「行くぞ」

パイロットがつぶやく。全神経を集中しているのだ。緊張する。ガリガリとものすごい音をたて、何度もバウンドしながらセスナは止まった。冷や汗をかいている。パイロットと握手。

「三週間たったらまた会おう」

山のような僕の荷物を氷上に降ろし、セスナは爆音とともに山の稜線に消えていった。気の遠くなるようなアラスカ北極圏の広がりの中に一人残され、これから三週間はもう人に会うことはない。ザックの上に腰を下ろし、爆音の余韻をしばらく聞いている。大げさに言えば、それは僕にとって「命《いのち》の音」だ。

三週間が過ぎ、セスナが迎えに来る頃、ツンドラには花が咲き乱れている。たくさんのカリブーの群れも通り過ぎていることだろう。その日僕は、セスナのプロペラ音を待ちながら、ひたすら南の山の稜線に耳をすます。一匹の蚊の羽音さえ、それとまちがえてしまうのだから。

シールオイル

昼めし時になり、ボートのエンジンを止め、早春のベーリング海を漂い始めた。風は冷たいが、陽の光はもう暖かだ。ケワタガモが群れをなし、まっすぐ北へ向かって飛んでゆく。渡り鳥が、春のアラスカ北極圏に営巣をしにやってくる頃なのだ。

海岸エスキモーにとって、今はアザラシ漁の季節。流氷の中を、僕とエスキモーのエノックは朝からアザラシを探し回っていた。

ドライシール（アザラシの干し肉）、凍ったカリブーの生肉、ホワイトフィッシュ（極北の川で獲れる白身の魚）——ぼくたちの昼めしである。エノックはシールオイルの入ったびんを開け、何を食べるにつけそれにひたしていた。強烈なにおいが鼻をつく。シールオイルとは、アザラシの脂肪を溶かした液状のオイルである。

作り方はまず、棒状に切った脂肪を重ねるようにしてたるに入れ、ふたをする。アザラシの中をくりぬいて、袋状にしたものに詰めることも多い。あとは暖かい場所に置いとけば、脂肪は自然に溶けてくる。村によっては少し発酵させて味をつけるらしい。

僕も、アザラシの干し肉をシールオイルにつけて食べ始めた。昔、初めて口にした時、においがとてもきつく往生した。でも今はもう慣れている。こういう場所では本当に身体を暖めてくれる。

シールオイルをつけて食べる僕に、エノックは何を言うわけでもないが、何となく空気が和む。以前にも同じ経験をしたことがある。その時は四、五人のエスキモーの中にいた。やはり誰が何を言うわけでもない。しかし彼らは何となく見ているような気がした。僕がシールオイルに手を出したかどうかを。

どの民族にも、どうしてもそこに帰ってゆく味がある。その味は異邦人に対してどこか恥ずかしく、それでいて誇りたく、何かデリケートなものかもしれない。

人間が食べるものは結局うまいものなのである。ただそれが、慣れるのに時間がかかるものがあるという程度の差にすぎないような気がする。

小さなことだけど、食文化を共有することは、相手と向き合うことだ。

生活の西欧化の中で、かつて海洋動物から作られたさまざまなものが消えつつある。服、道具、ボートの革、ロープ、そして食用としての肉さえも新しい食べ物にとってかわられようとしている。

けれども、それが食生活から消えてゆくことにより、民族のアイデンティティを失ってゆくような食べ物がある。シールオイルは、消えゆく言語と同じくらい彼らの文化の中で強い位置を占めているのだ。そして今、食卓にシールオイルを見ないエスキモーの世代が確実に増えつつある。

腹を満たした僕たちは、再び早春の流氷群の中へアザラシの姿を追った。

カリブーの谷

夕暮れの川べりに、迷子になったカリブーの子どもがいた。生まれてから数日しかたっていず、必死になって母親を捜している。

僕を確かめようとしているのか、ゆっくりと近づいてきた。ほとんど手が届きそうになった瞬間、ひるがえるようにして飛びさがった。

五月のアラスカ北極圏。ブルックス山脈にある谷で、これまで何度春を迎えただろうか。カリブーは春の季節移動でこの谷を通ってゆく。

一〇〇〇キロに及ぶカリブーの旅。すでに数千頭のカリブーが谷を渡って行った。

僕はベースキャンプの近くの山に登り、一枚岩のテラスに座り、北へ北へと行進を続けるカリブーの群れを見下ろしていた。この谷は、何百年、何千年……と繰り返し使われてきた道なのかもしれない。

ずっと昔、例えば一千年も前のある春の日、同じ一枚岩のテラスの上から誰かがカリブーを見ていただろうか。これだけ狩猟の地の利を得た谷だ。もしそうであるなら、その狩人はエスキモー、それとも極北のインディアン？　誰も知らない無名の谷だけど、きっとたくさんの物語を秘めているにちがいない。

カリブーの大きな群れが去った後、グリズリーの親子を川ぞいに見た。何日かして、黒いオオカミがツンドラの彼方から現れた。まだ点のような距離なのに、オオカミは僕に気づき、閃光のように消えていった。

彼らもカリブーの旅を追っているのだろう。残雪の上に、オオカミとカリブーの足跡が交叉している。生まれたばかりのカリブーの子どもを狙っているに違いない。自然は緊張感をもちながら、ひとつの完成された世界を見せていた。

この土地に絵ハガキのような風景はない。一枚岩のテラスから眺めれば、見ばえのしない山なみが果てしなく続き、その間を無数の未踏の谷が埋めているだけだ。僕はこの極北の山域が好きだ。手つかずに残された自然のもつ気配が好きなのだ。

アラスカに生きる人々でさえ、この谷を見ることはないだろう。巨大なカリブーの群れがさまよい、オオカミが徘徊《はいかい》する土地を見ることなく、一生を終えてゆくのだろう。でも、いいではないか。どこかにそんな世界が存在し、息づいている、そしてそれを意識できさえすれば……。

母親にはぐれ、迷子になったカリブーの子どもは、小さくブーブー泣きながら白夜のツンドラに消えていった。もう生きのびることはできないのだろう。

この谷を含めた北極海沿岸の広大な地域は、今、巨大な油田開発の対象になろうとしている。

グリズリーに挑んだムース

一九八七年六月十五日午後三時、アラスカ山脈トクラット谷の丘の上からムースの親子を見ていた。

生後約二週間だろうか。二頭の子ジカは、時々跳びはねながらじゃれ合っている。初めての春。まわりのすべてが新鮮な世界なのだろう。

花の匂い、サラサラと揺れるアスペンの葉音、森の中に響くアカリスの警戒音、水の冷たさ、そして母親の乳の味。

きっと子ジカは自分の動く体さえ不思議に違いない。跳びあがり、追いかけ、はねつけられ、自分の世界を学んでゆく。

突然、親子の様子がおかしくなった。三頭はぴったりと寄りそい、まわりを気にし始めている。

ブッシュの中からグリズリーが現れた。

生後数週間をまず生きのびることが、子ジカにとっての試練である。オオカミやグリズリーが、まだうまく走れないこの時期を狙ってくるからだ。一頭は守れても、二頭を同時に守ることは母親にとってやさしくはない。

秋になり、成長した二頭の子ジカを連れたムースを見ることは珍しいだろう。

その時、思いもしないことが起きた。母ムースは、二頭の子ジカを残し、グリズリーに近づいていったのだ。もう逃げられないと悟ったのだろう。

グリズリーが足を止めた。ムースも足を止めた。両者はしばらく見つめ合い、ムースが次の一歩を出した瞬間、グリズリーはひるんだ。

ムースが一気に攻撃にでた。グリズリーは身をひるがえし、こんなはずではなかったかのように逃げ出した。ムースの攻撃は執拗だった。グリズリーはすでに背を向けているのに、まったく諦める様子なく追い続けている。二頭の子ジカはどうしていいかわからないのか、茫然とそのシーンを見つめていた。

以前、同じような場面に出くわしたことがある。しかしその時は、母ムースが山の上までグリズリーを追い払っている間に、子ジカは離れたやぶの中に隠れてしまった。戻ってきた母ムースはどうしても子ジカを見つけることができない。パニックになった母ムースは信じられない行動にでた。再び山を登りだし、グリズリーに近づいていったのだ。

子ジカが見つからないわけを、もう一度そのグリズリーに確かめたかったのだろうか。捕食者と獲物の関係が逆転していた。食われる者が食う者にぎりぎりまで近づいていったのである。その後、このムースの親と子が出会うことができたかどうかはわからない。

さて、早春のツンドラでグリズリーを追いつめた母ムースは、やっと気がすんだかのように子ジカのもとへ戻っていった。わずか数分間のドラマだった。生きのびた子ジカも、泡を食って逃げ去ったグリズリーも、何かを学んだ。

弱者は、守らなければならない者を持ったことにより、強者との立場を時として逆転させてしまう。それが、捨て身の行動の持つ力なのだろう。

ラッコの海

南アラスカの海、プリンス・ウイリアムス・サウンドは、無数の島が散らばる美しい内海である。コロンビア氷河をはじめ、いくつもの氷河が流れ込み、ツガやシトカトウヒの針葉樹の森が浜辺まで覆っている。アマゾンの熱帯雨林をはるかにしのぐ年間降水量が、この森と氷河の風景をつくりあげているのだ。

五月のある日、コルドバという漁村からボートで海に出た。数日かけて、プリンス・ウイリアムス・サウンドの西側の島々をまわってみたかった。自分の目で見て、確かめておきたいことがあった。

午後からゆっくりと霧に囲まれてくる。しばらくすると、ほとんど視界が利かなくなった。霧の中から小さな岩島が現れ、霧が晴れるのをこの島で待つことにする。半径約三〇メートルの、猫の額ほどの島だった。

たくさんのワシカモメが飛び立った。ここで営巣するのだろう。卵を産むためのくぼみがすでに出来ている。白いふんがしみついた岩肌に、地衣類が不可思議な模様を作っていた。ワシカモメのふんが栄養を与えているのだ。

気がつくと一頭のラッコがこの岩場に向かってくる。よく見れば子どもを抱えているではないか。僕は岩かげに隠れた。プカプカ浮かびながら、両手と口で忙しそうに毛づくろいをしている。ラッコの親子は何の警戒もせずに一五メートル程離れた岩場にあがってきた。母親は再びあおむけになり、子どもはその上でころげ回っている。平和な風景だった。

ここでは生きていたか……。僕は一カ月前に見た光景を思い出していた。

ここから四〇キロ西で起きた北アメリカ最大の油流出タンカー事故は、プリンス・ウイリアムス・サウンドを原油で覆った。海鳥はもちろんのこと、約三〇〇〇頭のラッコが油にまみれて死んだ。

ラッコはアザラシなど他の海洋動物のように厚い脂肪をもたない。この冷たい海で、ラッコの生死を分けているのは密生する二種類の体毛である。ラッコはこの体毛を汚すと生きてゆけない。浮力を失いおぼれるか、急速に体温を失い凍死する。ラッコは必死になって体についた油を落とそうとしただろう。

まだ生きていたラッコはバルディーズの町に運ばれ、救援グループの人々によって洗浄活動が行われた。油が落とされ、小さなオリに入れられたラッコにそばにいた女性が顔を近づけた。ややそうとでもしたのだろう。麻酔で眠そうな顔をしていたラッコは、突然牙をむきだし、フーッという声をあげながら威嚇した。その女性はびっくりして後ずさりした。人間が勝手につくりあげた、ラッコが可愛いなどというイメージとは程遠い一瞬であった。それはもの言わぬ生き物たちの、人間に対する精一杯の怒りにさえ思えた。

北方の冷たい海では、油の自然分解に時間がかかる。プリンス・ウイリアムス・サウンドで起きた海洋汚染は、今後長い時間をかけて生態系に広がってゆくだろう。

事故が起きた一週間後、現場から近いナイト島に渡った。浜辺はどす黒い原油でべったり覆われていた。波うち際は、海辺の生態系の命である。そこは生命の気配はなく、気味が悪いくらい静かだった。レイチェル・カーソンの「沈黙の春」を思った。春なのに、鳥の声がない。

風の鳥

ピュッ！

風を切って、ハマシギの群れが僕のまわりを飛びぬけてゆく。かすかに羽が足に触れた気がした。

ハマシギの編隊は宙に舞い上がり、一瞬形を崩したかと思うと、まるで磁力に吸いつけられるかのようにひとつのかたまりとなり、そのまま放射状に地面に飛び散らばった。後はまるで何もなかったように餌をついばんでいる。そして、何が引き金をひくのか、再びいっせいに飛び上がり、風のような舞いを繰り返すのだ。

メキシコ、さらには南のペルーで冬を越したハマシギは、アラスカの春に向けて、数万キロの空を飛んでくる。

最後のひとっ飛び、カナダのブリティッシュコロンビアからアラスカまでの約二〇〇〇キロはノンストップ。カナダで栄養補給し、脂肪をつけたハマシギは、強い南風を待ち、一気にアラスカへ飛び立つ。

翌日、南アラスカの海岸デルタに着いたハマシギはすっかりやせている。このわずか一五センチほどの鳥に蓄えられた脂肪が、どうして二〇〇〇キロもの空を一気に飛ばせるのだろう。

春、アラスカ北極圏は、さまざまな渡り鳥の大きな繁殖地となる。そしてここ、南アラスカの海岸デルタは、長い渡りの旅の最後の休息地だ。ここで再び栄養を補給し、それぞれの繁殖地に飛んでゆく。僕は、南アメリカから、数万キロの旅をへて渡ってくるハマシギの群れを見たかった。

ある日の午後、海に突きでた岩場に座り、南の空を眺めていた時だった。急に、カナダヅルの懐かしいのどを鳴らすような声がどこからか聞こえてきた。でも、いくら目を凝らしても南の空に何も見えない。気がつけば、頭上の空高く、V字を組んだ編隊が通り過ぎようとしていた。

その日は、絵に描いたような渡りのドラマがあった。ハマシギだけでなく、ナキハクチョウ、マガン、ハクガン、カリガネ……がV字をつくりながら、次々に南の空から姿を現してきた。どうしてこんなに正確なのだろう。春のカレンダーを、どうやって身体にプログラムするのだろう。

一週間も降り続いた雨が、やっとあがった日の夕方、僕は引き潮の浜辺にいた。ハマシギは、餌をついばみながら忙しそうに動き回っている。水際が、甲殻類や貝を見つけやすいのだろう。

潮が引くのに合わせて、ハマシギの群れも移動してゆく。じっと動かないでいると、やがて僕は数万羽のハマシギの群れに囲まれていった。鳴き声が和音となり、交響曲のように僕を包んでいる。

突然、雲間から残照が射し、数万羽のハマシギは一瞬にして黄金色に変わった。数日間続いた北風もやみ、ゆっくりと南風に変わっている。この無数の小さな黄金色の命は、明日、この風に乗って飛び立ってゆくだろう。

「スペンサーの山」

コバック川に住むドン・ウィリアムスを訪ねるたびに、彼の弾くフィデロを聴く。カントリー、ブルーグラス……けれども今日は、ドンの親友、スピッティのために作った曲を聴いている。

「スペンサーの山」という映画があった。若き日のヘンリー・フォンダが主演した、ワイオミング州グランド・ティトン山のふもとを舞台とする、アメリカ開拓時代のある一家の物語である。ドンにとって忘れられない映画だ。

この映画が作られる一九六二年、ドンはグランド・ティトン山のふもとでレンジャーをしていた。物語の中で、家族の住む舞台として使われたのが、ドンがレンジャーとして住んでいた家なのである。

「スペンサーの山」を見るたびに、ドンは若かった頃の自分を思い出すのだろう。

親友のスピッティは、グランド・ティトン時代からのカントリー音楽仲間。二人で映画の撮影現場をずっと見ていたという。ドンにとって、ヘンリー・フォンダはことのほか思い入れの深い俳優となった。

映画のクライマックスシーンは、主人公の年老いた父親が森の木の下敷きになって死に、新しい家族の時代に移ってゆく場面だった。

その後ドンはワイオミング州を離れ、アラスカに渡ることになる。スピッティは残り、グランド・ティトン山のふもとで牧場を続けた。

それから二十五年がたった。ドンは原野の暮らしをへて、今はアラスカ北極圏コバック川流域の村、アンブラーに住む。エスキモーの奥さんと三人の子ども。小さな部品屋を営んでいる。去年の純収益、一八〇〇ドル（約二万五〇〇〇円）。貯金なし。春と秋に通り過ぎてゆくカリブーと、コバック川の魚が何とか暮らしを補っている。

ドンの口ぐせだった。

「ミチオ、今もっているものでいいんだ。明日のことはどうにかなる。昨日はもう過ぎてしまったよ」

東京にいると、時々ドンの弾くフィデロを無性に聴きたくなった。

ドンとスピッティは、アラスカとワイオミングに離れていても、いつも音楽でつながっていた。長距離電話の受話器の前で、新しくマスターした曲をフィデロで弾いて聴かせるドンを何度見ただろう。録画した「スペンサーの山」を見ながら、スピッティとカウボーイのように過ごしたグランド・ティトンの思い出をどれだけ聞かされただろう。

アラスカに暮らしながらも、ドンの気持ちの半分はグランド・ティトンにあった。

「二カ月前のことだった。スピッティの奥さんから電話があった。スピッティは森に冬の薪《まき》を伐《き》りに行ったらしいんだ。もう十分あるからと言ったのに、もう一本だけ伐ると言って出かけたという。スピッティは、その最後に伐った木の下敷きになって死んだ」

壁にスピッティの写真がピンで留めてあった。ドンは、昔、彼のために作ったワルツを弾いた。

「スペンサーの山」を、ドンはもう見ないような気がした。

ドールシープ

六月のイグルー山にドールシープの群れを探した。山岳地帯に生きるこの野生のヒツジは、特に急峻なガレ場を好む。

白い点の群れを山頂近くに見つけた僕は、雪解けの川を渡り、ゆっくりと山に登った。残雪の山を吹きぬける風が、汗ばんでくる体に心地良い。

同じガレ場に住むマーモットのかん高い警戒音に、ドールシープの群れが緊張する。二羽のイヌワシが、谷から吹きあげる風に乗って頭上をグライディングしていた。以前、ドールシープの子どもをつかみ去ろうとしたイヌワシを見たことがある。

長い間ドールシープの狩猟が禁止されているこの地域では、人間を恐れることはあまりない。近づいてゆくには、絶対隠れたりしないこと。いつも自分の場所を知らせることだ。

山頂直下の岩場に腰を下ろしていると、どこからか歌が聞こえてきた。まわりを見渡しても誰もいない。おかしいなと思っても、やっぱり女性の声で歌が聞こえてくる。広大な風景の中で、心地良い風とメロディーは調和し、何だか素敵だった。

稜線から誰かが現れた。ずっと離れていたがお互いに気づき、手を振った。アラスカ大学の院生、ジャネットだった。修士論文で、ドールシープの親子関係を研究している。しばらくして、ジャネットのフィールド調査を手伝うアリスも稜線から現れ、ガレ場を下ってこちらに向かってきた。

二人とも山が好きで、将来、高山地帯の生物学を研究したいという。話の合間にどちらかが歌っている。まぶしいほど明るい。

「今日、出産が見られるかもしれない……」

双眼鏡を見ながらジャネットが言った。それは片目がつぶれた一頭のドールシープだった。群れの中で、この雌だけがまだ出産を終えていないらしい。

夕方になり、その一頭は群れから離れ山を登り始めた。出産の最初の兆候である。僕たちは山頂に腰を下ろし、その瞬間を待った。昔、氷河が後退して出来あがった広大なU字谷が目の前にあった。

空間の広がり……アラスカを旅しているといつもそのことを思う。こんな風景の中で風に吹かれていると、人の一生には、自然というもうひとつの現実があることを改めて教えてくれる。

何年も前、この稜線にキャンプをした夜があった。U字谷が月光に浮かびあがり、素晴らしい夜だった。少し多過ぎるほどの流れ星が、星座の間をぬって消えていった。

突然、流れ星がいつまでも消えないのに気がつく。人工衛星だ。人間がつくりあげたその星は、ゆっくりと、いやまさにすさまじい程のスピードでアラスカの夜空を駆け抜けていった。

ドールシープの群れが稜線の下で寝入っていた。ヒトという種が成し遂げたものが、たとえどうしようもない袋小路への道を秘めているとしても、アラスカの夜空に飛ぶ人工衛星に、その時不思議な感動をもったのを覚えている。

「もうすぐ生まれる」

ジャネットが、双眼鏡から目を離さず小さな声で言った。

横たわっていたドールシープは、突然後ろ足を強く蹴り始めたかと思うと、赤味を帯びた小さな塊が飛び出し、夕暮れの草むらに転がった。

ジェイ・ハモンド

ジェイ・ハモンドを訪ねた。

彼の家へ行くのは容易でない。アンカレッジから二時間かけ、レイククラークという湖に飛ぶ。そこにボートアルスワスという小さな町がある。アラスカの地図を広げれば、この町はしっかり黒丸で載っているが、何てことはない、八家族が住んでいるだけだ。

ジェイ・ハモンドの家は、ここから湖をはさんだほぼ対岸に位置する。一九四〇年代に作られたというボロボロの小型飛行機に乗りかえ、海のような湖を横断する。青い水をたたえたレイククラーク、そして見渡す限りの原生林。強いクロスウインドの切れ間をぬって、家の前の浜辺に着陸した。

ジェイ・ハモンドは奥さんのベラとともに、電気も通じないこの孤立した原野に暮らす。アラスカの多くの人々が、彼の暮らしを羨望をもって見つめている。原野を開拓し、家を建てて住めば自分の土地になる、ホームステッドという制度があった古き良き時代に、ジェイはアラスカにやってきた。そして最高の場所を選んだ。

丸太の家は暖かかった。ベラが、オーブンの火を薪で調節しながらパンを焼いている。ベラには少し、エスキモーの血が混じっている。ジェイは、十日程前のある朝の出来事を話してくれた。

「朝食を食べていたんだ。居間の大きな窓をひょいと見ると、でかいグリズリーが鼻をガラスにつけて中をのぞいているんだからな」

冬になれば、目の前の凍結した湖は、オオカミの群れの通り道になるという。ジェイは不自然な姿勢でストーブに薪をくべる。両足首が不自由なのだ。

「昔、ブッシュパイロットだった頃のことだ。ある冬の日、エスキモーの村に物資を運んだ。その村には滑走路がなく、近くの凍結した湖に降りなければならない。氷の上でたくさんの子供たちが遊んでいたんだ。低空飛行して着陸することを知らせると、子供たちはすぐ湖から離れた。小さな湖なので、止まるのに必要な直線距離が足りず、どちらかに曲がらなければならなかった。しかし、着陸した途端、両側から子供たちが氷の上に戻ってきたんだ。もう遅かった。曲げるわけにいかない。滑走しているセスナから飛び出し、ウイングにぶらさがりながら自分の足で止めようとした。捨てられた木箱が氷にはさまっていて、両足を引っかけた。複雑骨折だった。村で何日か寝ている間に、足が倍に膨らんでいた。早く手術を受けなければならなかった。村にはパイロットがいない。外部との連絡もうまくとれない昔のこと、自分で脱出しなければならなかった。足に板をはめ、操縦席を改造し、後部座席から運転できるようにした。やっと病院のあるディリングハムにたどり着いた。入院してすぐ、病院が火事になり全焼だ……信じられない話だろう。結局、手術はずっと遅れてしまったんだよ」

前アラスカ州知事のジェイ・ハモンドは、アラスカで最も愛された政治家だろう。石油危機の七〇年代、アメリカ本土の目はアラスカに集まっていた。石油開発か環境保護かという、アラスカが大きく揺れ動いた時代の八年間、ジェイ・ハモンドは州知事を務めた。何よりも人々は、彼のもつ人柄と、政治から離れる引き際の良さを讃えた。夕食を食べながら、

「もう一度政治の世界に戻る気はあるか」

と、僕は聞いた。

「ベラと約束してたんだ。州知事の任期を終えたら、元の暮らしに戻るって。これまで

の一生で、一番楽な約束だった」

夜が更けてきて、ジェイはランタンに火をともした。

最初の人々

話は去年の冬にさかのぼる。南東アラスカの町ヘインズで、アル・ギラムというワナ師に会った。

僕はインディアンのトーテムポールを探していた。今日、自然の状態で残るトーテムポールはないとされている。見ることができるのは、わずかに博物館に保存されたものか、観光用に新しく作られたものだけだ。

南東アラスカにはかつて独自の海洋文化を築きあげたクリンギットインディアンがいた。森の中で朽ち果てていてもいいから、彼らが神話の時代に生きてた頃のトーテムポールが見たかった。

誰に聞いても一笑に付された。でも、どこかに必ず眠っているものがあるはずだ。氷河に囲まれた南東アラスカを覆う原生林は、それほど深く、そして未踏だ。

アルは、トーテムポールの代わりに不思議な話を聞かせてくれた。洞窟画のある場所を知っているというのだ。十年前に山の中で偶然見つけ、三年前に一人の考古学者に見せた以外、誰にも話したことがないという。

夏になったら連れていってもらうことを約束した。今までそんなものが発見されたという話を聞いたことがなかった。

半年が過ぎた七月のある日、僕たちはエアボートでチルカット川を上った。プロペラが空中にあるボートは、どんな浅瀬でも水すましのように進んでゆく。

二時間もたったろうか、本流を離れ、うっそうとしたツガの森を流れる細い支流に入っていく。しばらくして、アルはボートを岸辺の草むらにつけた。

苔むした森の中、クマの通り道をたどる。苔に足を滑らせたらしい、あわてふためいて走るムースの足跡があった。

やがて、家ほどもある巨大な岩が台地のように連なる世界に入っていった。さまざまな地衣類がモザイクのように岩を覆い、日本庭園のようだ。最後の氷河期が退いてゆく中で、置き残されていった岩だろう。

下りてゆくと、目の前に四五度に傾いた岩のくぼみが現れた。

アルの指さす方向に、うっすら赤い模様が岩に描かれている。わずか二〇センチ四方の小さな絵だ。ヨーロッパやアフリカの古代の洞窟画を想像していた僕は、少しがっかりした。

目を凝らす。何を意味しているのだろう。人の顔のような気もするが、そうだとすると、額に第三の目をもっている。

夜が更け、この岩のくぼみで野営をすることにした。蚊がひどく、たき火をおこす。

煙が蚊の群れを遠ざけてくれる。

寝袋に入り、僕たちはしばらく何も話さなかった。アルの犬も寝場所を決めたらしく、砂の上で丸くなっている。岩の壁が炎に照らしだされ、苔むした原生林の気配があたりを包んでいた。

「昔、ここに誰かがいたことを思うと想像が止まらなくなるんだ」

アルが言った。僕も同じことを考えていた。すぐ近くの渓流の川音が聞こえる。サケが上り始めているはずだ。何と理想的な生活の場。ここに、いつ、誰がいたのか。南東アラスカの原生林にかすかに残る小さな絵は、最初の印象とは裏腹に、長く語りかけてくれるような気がした。

翌日、ここから一キロも離れていない森の中で、僕たちは新しい洞窟を見つけた。中には、大きな岩と木組みが積まれた、不思議なケルンがあった。

夜光虫

南東アラスカには道がない。無数の島々をぬって、フィヨルドの海を旅するしかない。荒れた海からバラノフ島の小さな入り江にあるウォーム・スプリングに逃げこむと、別世界のようだった。白波のたつ海は背後に消え、細長い入り江は静まりかえっている。水ぎわまでせまるツガの原生林から、ハクトウワシが飛びたった。船の音に驚いたか……、と思えば、海面をけるように降下し、再び針葉樹の森に消えてゆく。魚を見たのだろう。

入り江の奥で、爆発するように滝が落ちている。その水をさかのぼれば、バラノフの山々に抱かれた氷河にたどりつく。ウォーム・スプリングは、数軒の家とよろず屋、温泉があるだけの小さな桃源郷。夏の間、わずかに漁師たちが体を休めにくるが、冬にはまったく閉ざされる。

フレッドは、一〇〇歳の誕生日をむかえたばかり。奥さんのコティールは七八歳。この海で漁をする友人の漁船で、何度かウォーム・スプリングに立ち寄った僕たちは、この老夫婦と親しくなっていた。

「フレッドは急に老けたな」

と、友人の漁師がつぶやいた。僕は、一〇〇歳にしては若過ぎると思っていたのだが……。

「五年前のことだった。海が荒れたある日、二人の乗ったボートのエンジンが故障し、フレッドは夜の海を一〇キロ近くも漕《こ》いでウォーム・スプリングに帰ってきた。信じられなかった。その時フレッドは九五歳だ」

僕たちはこの老夫婦が好きだった。ことに、コティールの包みこむような温かさに僕たちは甘えていた。お互いの歴史さえ何も知らず、知り合って間もないのに、まるで自分の家のようにふるまっていた。

コティールがアラスカに来たのは一九六〇年。南部のセントルイスに生まれた彼女は看護婦となる。その後、結婚に失敗し、出来る限り故郷から離れたかったという。黒人公民権運動が始まった当時のセントルイスは、コティールにとって決して住みやすい土地ではなかったろう。南東アラスカの漁師町シトカで看護婦の仕事についた彼女は、フレッドと出会い、そのままアラスカに住みついてしまう。

ユーゴスラビアで生まれたフレッドも、さまざまな人生をへて、アラスカに渡ってきた。

この世の人のめぐりあいは、限りない不思議さに満ちている。

コティールはたくさんのカニをゆで、僕は数日前に釣ったオヒョウでカレーライスを作った。

夕食を食べながら、フレッドの若き日の話に耳を傾けた。シカゴでウエーターをして首になった話に僕たちは腹を抱えて笑った。一九〇六年、長崎に寄港した時、港で働いていた女が皆歯を黒く染めていたという思い出。ユーゴスラビアの子ども時代のこと……。

その話を聞きながら、僕は若くして死んだ友人たちのことを考えていた。二〇代でこの世を去る者、そして一〇〇歳まで生き続ける者。それぞれの人間が生まれ持つ、どうしようもない命の力というものがあるのだろうか。

いつしか話題は、この海で見た夜光虫の話になった。コティールがとても見たがり、夕食の後、僕たちは夜の浜辺に出た。

石を投げこむと、夜光虫で海面は銀河のようにきらめいた。両手で海水をすくうと、こぼれ落ちる水は宝石のようだった。驚いた魚が、暗い海の中を、夜光虫の光に包まれて走った。僕たちは、飽きることなくそれを繰り返した。

コティールは、子どものような顔でその不思議な光を見つめていた。

原住民土地請求条例

フェアバンクスに帰り、町の通りで久しぶりにアルの姿を見ると何かホッとした。場末のキャフェに入り、アルととりとめのない話をするのが好きだった。

アサバスカンインディアンのアルは、タナナチーフというインディアン協会で働いている。学生の頃からの、もう十年来のつきあいだ。アラスカの原野で育ったアルは、ニューヨーク出身の白人のゲイと結婚し、今は五歳になる男の子がいる。二つの世界を知るアルは、いつもどこかひょうひょうとしながら、変わりゆくアラスカを見つめていた。

「アル、しばらくだな」

「本当だ。どこへ行ってた？　そろそろムースの狩猟の季節だなあ」

なみなみとつがれたコーヒーをすすりながら、いつもたわいのない話で始まった。店の客の半分は、インディアンかエスキモー。子どもたちが店中を走り回り、隣に座った男は出てきた村の話をしているらしい。このキャフェは、人の匂いがした。

「土地請求条例の件、どうなっている?」

僕は時々、この話をアルから聞いた。アラスカ原住民の将来を決定する問題になっていたからだ。

アラスカは、北極圏における油田開発により大きく変わろうとしていた。それは、これまであやふやだったひとつの問題を投げかけた。アラスカは一体誰の土地なのか、という……。

長い論争の末、一九七一年、アラスカ原住民土地請求条例が議会を通る。アラスカは三つの土地に複雑に分けられた。国が六〇%、州が三〇%、そして原住民(エスキモー、インディアン)はアラスカ全土の一〇%の土地をもつことになる。同時に、原住民がそれまでアラスカ全土にあった先住権を放棄することに対し、約一〇億ドルの賠償金が支払われた。

条例により、土地は同じ地域の村がひとつの会社組織をつくり運営されなければならなかった。賠償金はその賃金に使われた。つまり、原住民のひとりひとりが株主となったのである。

土地所有権の問題はこれで解決されたかに思われた。しかし複雑な内容をもつこの条例は、本来伝統的な狩猟生活を守るために原住民に与えられたはずの土地が、一九九一年からこの土地に課せられる税金との関係で、実は開発を前提としなければ維持できない仕組みになっていた。

ビジネス経験のない彼らの運営する会社組織は、そのほとんどが経営困難におちいっていった。二十年間のモラトリアムが終わる一九九一年から、彼らは土地に対する税金を払っていかねばならない。それができなければアラスカ原住民は土地を失う。

村の共同体の構造も変わろうとしている。彼らには、土地を所有するという概念がなかった。大地は売ったり買ったりするものでなく、ただそこにあるのである。それは狩猟生活の中で皆が共有する、漠然とした境界線のない世界であった。

一九九一年が近づいている。

原野に生きること

「秋に獲ったカリブーの肉が毎日なくなってるんだ。クマの仕業だと思い、ある晩この小屋の上でずっと待っていた。グリズリーが来た。ところが暗くてよく見えない。でもうまい具合にオーロラが出た夜で、時々強くなると雪面を照らしてくれるんだ。その明かりでやっとクマをしとめた」

闇の中でセスの話を聞いていた。二十三年前に彼の両親が建てたサウナ小屋の中。火力が強いのはいいのだが、真っ赤になった古ストーブはすでに紙のように薄く、小屋に火が移りそうで気が気でない。

ここはアラスカ北極圏の原野。そしてセスが生まれ育った土地だ。

セスの両親ハウイとアーナが、西部北極圏を流れるコバック川流域でブッシュ（原野）の生活に入ったのは一九六四年。二人はアラスカ大学で生物学の修士課程を終えたばかりだった。土で作ったイグルーに住み、狩猟を中心とした自給自足の生活に入ってゆく。

セスはそのイグルーで生まれた。この家族ほど、コバック川流域のエスキモーに慕われ、尊敬された白人もいないだろう。セスも兄のコールも、一八になるまで学校に行ったことがない。

コールは一八になると、原野の暮らしを出てアラスカ大学のあるフェアバンクスに行き、何と一番の成績で入学してしまう。地元の新聞のインタビューに、コールはこんなふうに答えていた。

「君はこれまで、そんな山の中で一体何をしていたのだ？」

「……生活をしていたのです」

セスもコールも、理知さ、生活力、謙虚さ、そして何ともいえぬ温かさをもつ若者だ。

五年前、脳腫瘍の手術を受けた母親のアーナは寒い土地に生きることが困難になり、父親のハウイと共にハワイ島に移った。この冬二人をハワイに訪ねたが、風力発電が太陽発電に変わり、狩猟民から農民になった以外、彼らのライフスタイルは何も変わっていない。

両親は去り、原野はセスの時代となった。今はしっかりした家がコバック川を見下ろす丘に建ち、恋人のステイシーと共に暮らしている。しかし、時代も大きく変わろうとしていた。

「以前この家は、火をつけて燃やしてしまう土地管理局のリストに入っていたんだ。今でも状況はそんなに変わらないさ。連邦政府の連中は、いつか僕たちをこの土地から追い出すだろうな」

サウナ小屋は真っ暗で、目の前で話すセスの顔さえ見えない。

七〇年代の初めまで、アラスカは真のフロンティアだった。自由を求め、きびしい自然の中で生きてゆく気概のある者は、誰もが原野に入り、家を建てて暮らすことができた。セスの両親もその中にいた。

一九六八年のブルドー湾における油田発見、それに続く原住民土地請求条例はアラスカを大きく変えてゆく。国、アラスカ州、そして原住民の土地所有権により、網の目のような境界線がアラスカの地図に引かれていった。開発の流れの中で、政府は自然保護派の矛先を変えるためか、新たに三二万四〇〇〇平方キロに及ぶ土地を国立公園に指定する。

セスの家は、気がつくとコバック国立公園という境界線の中に入っていた。

アラスカに自由を求め、原野に入った多くの人々が、ある日、不法侵入の通告を受けることになる。美しいアラスカの自然の中でさまざまな問題が渦巻き、ひとつの時代は確実に終わろうとしている。

僕とセスはたっぷり汗をかき、そのまま素っ裸で外に飛び出した。夜空は満天の星。もう冬が近い。

秋のブルックス山脈

北極圏を東西に走るブルックス山脈は、アラスカで最も好きな山域だ。

マッキンレーがそびえるアラスカ山脈のように、六〇〇〇メートル級の高山や大きな氷河があるわけではない。見ばえのしない同じような無名の山なみが、無名の谷を抱いてひだのように続いている。ここはオオカミの遠吠えに耳をすます、最後の土地なのかもしれない。

ブルックス山脈の美しさとは、人間の手つかずに残された自然のもつ気配なのだ。谷あいを曲がるたび、誰も出会っていない、最初の風景を見るような体験をもつ。何でもないせせらぎ、苔むした岩、そびえるアスペンの木。夜の闇が人を謙虚にするように、その気配もまた同じ力をもっている。

西部ブルックス山脈で過ごしたある秋のこと。僕はアラトナ川流域を一人で旅していた。インディアンサマーと呼ばれる秋晴れの日が続いていた。冬は、まだまだ先のことのように思われた。

夕方から、北の空に灰色の雲がはりだしてきた。風向きが変わり、気温も少し下がってきた。その日の行程を切りあげ、いつもより早めにテントを張る。紅葉がピークだった。

川辺に水をくみに行くと、対岸の山の斜面に一頭のグリズリーがいた。ここでキャンプをするのは近過ぎる。テントをたたんで移動しようか、しばらく考えた。しかし、いずれにしろこのクマのテリトリーから出られるわけではない。そのまま夜になった。かなり冷えこんでいた。シュラフにもぐりこむが、なかなか寝つけない。クマのことが気になっていた。

ここは人の住む場所から数百キロも離れた北極圏の原野。クマがいることはわかっているのに、実際に出会うのとはやはり話が違う。

それでいて、もしクマが存在しないのなら、僕はこの土地に来ないだろう。たとえそれが点のように離れていても、一頭のクマは、その広大な原野の風景をひきしめる。そしてこの土地が、自分ではなく、このクマに属していることを知る。

僕はクマに気をつけるが、それほど恐れてはいない。しかし、自然に対して、たかをくくっているのではないかと思う時がある。つまり、本当の恐怖心をもっていないのだ。

いつか訪ねた、原野にたった一人で住む、ある古老のインディアンのことを思いだす。彼は、小屋のまわりをうろつくグリズリーに異常に怯《おび》えていた。銃さえ持っているのだから、そんなに恐れる必要はないのだと僕は言った。何かおかしくさえもあった。しかしそれは、どこかで間違ってはいなかったろうか。

朝になり、目が覚めると、風も止み、あたりは静まり返っていた。たるんだ屋根を押すと、何かがドサッと落ちた。テントを開けると、しんしんと雪が降り、山は一面の冬景色だった。

シベリアの風

エスキモーの村、ノームを離れたアラスカ航空のジェットは、そのまま真っすぐ西へ向かっていた。初めての、そしてたった一日だけのルートである。

眼下は、びっしりと氷が張りつめたベーリング海。特別機の乗客のほとんどが、窓の外の白い世界に見入っていた。

一時間もたったろうか、起伏のゆるい雪の山並みが見えてくる。シベリアだった。なんて近いのだろう。地図上ではわかっていたものの、二つの大陸は、アラスカとシベリアでほとんどくっついていた。かつての先住民は、このルートを通ってアジアから北アメリカに渡ってきたのだ。

これからアメリカとソ連のチームが一緒になり、犬ゾリでシベリアからアラスカへ、ベーリング海を横断しようという旅が始まろうとしている。その距離約二〇〇〇キロ。

特別機は、アメリカ側からのメンバー六人と犬を運ぶため、ソ連が一日だけの許可を与えたベーリング海を渡るフライトだった。

　この海をはさんで、アラスカとシベリアのエスキモーはかつて自由な行き来があった。国際情勢により、ベーリング海にカーテンが引かれたのが一九四八年。それから四十年間、二つのエスキモーの世界は離ればなれになっている。この旅には、もう一度この海に自由な橋をかけようという願いがこめられていた。そしてメンバーには、アメリカとソ連から、それぞれ三人ずつのエスキモーが加わっている。

　ゴルバチョフの時代となり、ペレストロイカ、グラスノスチという新しい流れ、そして民間レベルによる地道な働きかけなしには実現しなかった旅である。

「それはデイジャブー（回帰現象？）のようだった」

　今回の働きかけの中心となり、旅のリーダーでもあるポール・シェルクが言った。

「ソ連に行き、シベリアエスキモーにこの計画を話した時、三カ月前にもったアラスカエスキモーとの会合を思い出した。テーブルの向こうにいる彼らは、アラスカエスキモーと同じ顔を持ち、同じ反応を示すんだ。誰もが実現するのを切望していた」

　シベリアの町、アナディルが雪原の中に見えてきた。空港に降り立つと、ものすごい寒気の中で、多くの人々に出迎えられた。

　歓迎パーティー、昼食会、エスキモーダンス……決して豊かとは思えないシベリアの小さな町の、精一杯のもてなしだった。

　たった一日のシベリア旅行。極北の日はあっという間に暮れ、僕たちは六人のメンバーと犬たちを残して機上の人となった。

アラスカ側からの三人のエスキモーのメンバーを紹介する。

ロバート・スルーク、二三歳。リトルダイオミード島出身。シベリアにおばさんといとこがいる。一九四八年、彼の父親は、氷霧のため五十二日間シベリア側に閉じこめられたという。

アーニー・ノートン、四五歳。コッツビュー出身。いるかどうかもわからないが、同じ姓を捜し、親戚を見つけたいという。

ダーニー・アパガルック。セントローレンス島出身。彼女はシベリアエスキモーの言葉を話す。やはりまだ会ったことのない、おじさん、おばさんに会いにゆく。

一二人の混成チームは、一八のシベリアの村を通り、早春のベーリング海の氷原を越え、旅が始まってから六十一日後の五月十一日、小雪のちらつくノームの村に帰ってきた。

ジョージ・アトラ

北米犬ゾリレース。毎年フェアバンクスで開かれるこのレースは、長くて暗いアラスカの冬の暮らしを彩る。そして、今年もジョージ・アトラが出場する。

三日間の総合タイムを競うこのレースは、今日が最終日。白い息に包まれた声援の中、ドッグマッシャー（犬ゾリ走者）は次々にスタートを切ってゆく。ジョージ・アトラの名前がアナウンスされると、路上の群衆は一段とざわめいた。動かない左足を引きずり、一八頭の犬とスタートラインに立つと、ジョージは風のように飛び出していった。

「ジョージがどうしてこれほど勝負に執着するのかわからない。あいつにとって二着は何の意味もない。勝たなければならないんだ」

ジョージをよく知る、かつて第一線のドッグマッシャーだったジム・ウェルチが言った。

ジョージ・アトラ、五五歳。コユコック川流域、フースリア村出身のアサバスカンインディアンである。

少年の頃、ジョージは傷口から入った結核菌により左足を悪化させる。南東アラスカ、シトカの病院に送られたジョージは、高校を卒業するまでの八年間をこの町で送ることになる。

足が治らないまま、村に帰ったのは一八の時。外の世界に暮らした時間は、昔ながらの村の生活に溶け込めない心の溝をつくっていた。二つの文化の狭間で、ジョージは子どもの頃好きだった犬ゾリの世界に自分の場所を求めてゆく。少しずつ頭角を現しながら、やがてアラスカを代表するドッグマッシャーに成長していった。

七年前、彼の半生がアラスカで映画化された。「スピリット・オブ・ザ・ウインド（風の魂）」

ジョージの兄さん夫婦と親しい僕は、村に行くたびに彼の話を聞かされたものだった。ジョージは、アサバスカンインディアンの誇りとなっていた。

しかしその後、酒に酔って起こしたいくつかの事件は、同時に多くのファンを失わせることになる。人々はジョージ・アトラに、絶対的なヒーローの像を求めていたのだ。

もう第一線の若さではない。不自由な左足に加え、目の見えない父親から遺伝した緑内障は、すでにジョージの片目を失わせている。しかし、毎年、ジョージは必ずその姿をレースに見せてきた。

「勝たなければならない相手と理由を見つけた時、ジョージは信じられない力をだす」

ジムは尊敬を込めて言った。

「四年前、レースの優勝候補が地元テレビのインタビューでジョージのことを聞かれた。『もう彼の時代ではない』と軽くあしらったひと言は、ジョージに火をつけた。誰もの予想を覆して、ジョージは優勝した。理解しにくい、複雑な男だ。しかしジョージにはいつもドラマがある」

人は誰でも、いつか負のカードをもち、どこかでそれを救いながら生きてゆく。彼の人生はジョージ・アトラという個人を超え、アメリカ社会の中で生きざるを得ない、アサバスカンインディアンに共通している。

一九八九年北米犬ゾリレースは終わった。一位ロキシー・ライト、二位ジョージ・アトラ……。

アラスカの呼び声

この土地に初めて来た年、新しいザックをひとつ買った。山道具屋の主人に、

「これがアメリカで一番大きいのですか」

と聞いたのを今でも覚えている。長い旅をしなければならないから、大きなザックを買わなければならないと、なぜか漠然と思っていた。

さまざまな夢を抱いて、僕はアラスカにやって来た。やりたいことが、頭の中にぎっしり詰まっていた。そのひとつひとつを、まるで順々に消化でもしていくように、旅をしていった。

北極圏を走るブルックス山脈の、未踏の山や谷を歩いた。グレイシャーベイをカヤックで旅しながら、氷河のきしむ音を聞いた。南東アラスカの深い原生林に触れた。極北の放浪者、カリブーの長い季節移動を追った。数え切れないほどのオーロラを見上げた。オオカミを見た。エスキモーの人々とウミアックをこぎながら、北極海にクジラを追った。アサバスカンインディアンの村で、ポトラッチを見た。たくさんの人と出会い、さまざまな暮らしを知った……。

アラスカの自然は、自分の賭けた気持ちのぶんだけ、いつも何かを教えてくれた。やがて、あるひとつのことを問われ始めているような気がしていた。

気がつくと、ザックはすっかりほころび、もうバラバラになりそうだった。あれほど大きく見えたザックも、今はそうでもなくなった。いつのまにか、十二年がたっていた。きっと旅は終わりに近づいていた。

この土地に暮らしていこうと思った。そう思い始めたら、再び僕はこの土地の入口に立たされていた。目の前の地図が消え、風景さえも違っていた。また、一から歩き出さねばならなかった。

アラスカの自然は、きっと違う何かを見せてくれるような気がした。今までより、少し深く、自分を受け入れてくれるような気がした。

トウヒとアスペンの森の中に家を建てた

フェアバンクスの小さな森の中に、家を建てた。まだ家具も何もない。でも、素晴らしい薪ストーブがある。当分はこれさえあればいい。これがこれからの暮らしのベースになってゆく。

初雪が降った。さあ冬が来る。長く寒い季節が始まるというのに、いつも感じるこの初雪のうれしさは何だろう。雪とは、人の気持ちに、何と暖かいものなのだろう。

アラスカの雪の踏み音は、サクサクではない。キュッキュッである。まったく乾燥しきった粉雪なのだ。

根雪になるだろうか。光の中を、スローモーションのように舞い落ちてくる。その雪のひと粒を目で追うほど楽しいことはない。シラカバの枯れ葉を踏みしめていたのはつい昨日のことなのに、もうずいぶん前のことだったような気がする。

薪ストーブに火を入れた。パチパチと、アラスカの冬の暮らしの音が聞こえてくる。トウヒの薪も、すっかり家のわきに積み上げげた。

深雪を歩くスノーシュー（カンジキの大きなもの）、雪原を滑るクロスカントリースキー……冬に備えて手入れをする。

新しいマクラック（毛皮の長い靴）が、アサバスカンインディアンの村、フースリアから突然届いた。本当にのんびりしている。作ってくれとキャサリンに頼んだのは、もう五年前のことだ。

夜、久しぶりに走った。温度計はマイナス二〇度をさしている。雪を踏みしめる音が何とも心地良い。ブッシュパイロットのドンの家まで行こうと、あたりの林に気を配りながら走る。昨日、この道をムースの親子が横切ったのだ。

ドンの家でお茶を飲み、ゆっくりと歩きながら帰る。月光が、ぼんやり雪の夜道を照らしていた。急に、今、自分に帰る家があるのだということに驚いていた。この土地に家をもったことを初めて実感したような気がした。借家の丸太小屋で暮らしていた頃、こんなふうに感じたことはなかった。森と、家の灯が見えてきた。ドアを開けると、たまらなく暖かかった。

ピシッ！　何の音だろうと思い、部屋の中を見回した。何も動いてはいない。きっと、トウヒの丸太がしゃべったのだ。いつかトムが言っていたっけ。丸太の家は、伸びたり、縮んだり、生きているのだと。だから暖かく感じるのだと……。

それにしても、夏の喧噪《けんそう》が去り、秋も過ぎた後の、この初冬の伸びやかさはいい。短い極北の夏、人々は、まるで、太陽をむさぼるように動き続けてしまう。それは、植物も、渡り鳥も、動物たちも同じ。やっと今、人々は、暮らしのペースを取り戻しつつある。しかし、それは仕方がない。夏になると、太陽への思いが、どうしても走ってしまうのだ。

この土地に生きる人々にとって、冬の辛さは、マイナス五〇度の寒さではない。それは、あまりに短い日照時間だ。太陽は、決して頭の上にはもう昇ってこない。地平線にやっと顔を出したかと思えば、そのまま短い弧を描きながら、沈んでしまう。後は、長い長い夜が支配する。アラスカの冬の生活は、ひたすら春を待つ毎日でもある。そして十二月にくる冬至は、人々の気持ちの分岐点となる。なぜなら、この日から日照時間が少しずつ延びてくるからだ。本当の冬はまだまだ先なのに、人々は、一日一日春をたぐりよせる実感をもつ。

これから始まる森の暮らしは、どんな自然との関わり方を僕に教えてくれるのだろう。これまで動き続けていた自分が、ひとつの定住の場所をもった時、何が見えてくるのだろう。とりあえず、この小さな森に、じっくり目を向けてみたい気がする。暮らしの周辺から、これまで自分が旅をしたアラスカのさまざまな世界を、もう一度眺め、つなげてゆけたらと思う。

アラスカの原野を鳥の目になってはじめて知った

アラスカの本当の大きさは、鳥の目になって、空から見ないとわからない。

遥かに続く山並み、どこまでも広がる原野、悠々と流れる大河……人間の感覚の中で、最も多くの情報を与えてくれるのは視覚だが、それさえも対象との距離によって別のことを語りかけてくる。考えさせられるのは、その時である。

十月のある日、アラスカ北極圏をセスナで飛んでいた。エスキモーの村から、フェアバンクスの町に帰る途中だった。ゆっくりと、冬が近づいていていた。

低気圧の接近で上空の風が強く、機体は、時々激しく揺れていた。高度を一五〇メートルまで下げてゆくと、風が凪《な》ぎ、急に新しい世界が広がった。漠然としか見えなかった森の広がりが、今はひとつひとつの木々を見分けることができる。

ガラス窓に顔をつけ、眼下を流れてゆく原野を眺めていると、何か不思議な思いがした。あの一本の木の下で、かつて誰かが佇んだことがあるのだろうか。誰も見ていないのに、それでも木は紅葉を終え、すっかり葉を落とし、長い冬を待ちながらそこに立ちつくしている。

白い雪の原野に、小さな黒い点が見えてきた。

「クマかもしれない」

パイロットがつぶやくと、上空からまっすぐ近づいていった。

一頭のハイイログマが、生命のかけらさえも見えない白い世界で、何かを考えているかのように、ポツンと座っている。獲物を狙っているのでも、歩いているのでもない。ただそこに、ポツンと腰をおろしている。

どんなにドラマチックなシーンより、こういう風景が強く記憶に残ってゆく。アラスカの広さを知るのは、この時である。

人間のためでも、誰のためでもなく、それ自身の存在のために自然が息づいている。そのあたりまえのことを知ることが、いつも驚きだった。

それは同時に、僕たちが誰であるのかを、常に意識させてくれた。アラスカの自然は、その感覚を、とてもわかりやすく教え続けてくれたように思う。

人気のない原野を五時間も飛び続けると、やっとフェアバンクスの町の灯が見えてくる。森の木々が見分けられたように、高度を下げるにつれ、ひとつひとつの家の灯が区別できた。すると、一本の木にもった同じ不思議さを、一軒の家の灯にもっていた。自分が知り得ない人々が、それでも、それぞれのさまざまな一生を送っている。あたりまえのことなのに、そう思う時、無性に人の暮らしが恋しかった。

鳥の目になって見えてくるものは、風景も人間の営みも同じなのかもしれない。漠としたアラスカの自然に魅かれる思いと、人恋しさは、どうつながっているのだろう。人間と自然との関わりとは、一体何なのだろう。

インディアンのポトラッチが教えてくれた

アラスカの〝自然の恵み〟について考える時、キャサリン・アトラと過ごした秋のことを思い出す。

アラスカ北極圏、コユコック川流域……ここは、アサバスカンインディアンの土地。キャサリン一家と川を下りながら、僕たちはムースを探していた。秋の狩猟の季節なのだ。

そして、村に帰ればポトラッチが待っている。ある老婆が世を去り、一年がたった。ポトラッチとは、インディアンの世界における御霊おくりの祝宴。死者の魂はこの日を境に旅立ってゆく。そのために、ムースの肉が必要なのだ。その頭を煮て、すべてを溶かしたヘッドスープは、この祝宴に欠くことのできないもの。この土地に生きるアサバスカンインディアンにとって、ムースはポトラッチのための〝聖なる食べ物〟だった。

九月の川旅——水辺のブルーベリーやクランベリーの実は熟し、燃えるような赤や黄に染まっている。一日の終わりに、ボートを岸につけ野営をした。クロクマの肉で腹を満たした私たちは、炎に顔を火照らせていた。キャサリンはお茶をいれながら話し始めた。

「子どものころ、おばあさんとブルーベリーを摘みに行った時のこと。私はひとつひとつの実を摘むのに疲れてしまい、いっぱい実がついてる枝をそのまま折って、おばあさんに持っていったの。その時、こんなことを言われたのを覚えている。〝ブルーベリーの実はもうそこにはできないよ。そしてお前の運も悪くなる〟」

キャサリンの父親はこの土地最後のシャーマンだった。そして、キャサリンもよく運の話をした。人の持つ運は、日々の暮らしの中で変わってゆくものだという。それを左右するのは、その人間を取り囲むものに対する関わり方らしい。彼らにとって、それは「自然」である。

アラスカ内陸部に、何万年と暮らし続けてきたアサバスカンインディアンの人々。彼らの文化は、ピラミッドや神殿などの歴史的遺産は何も残さなかった。しかし、ひとつだけ残したものがある。それは、太古の昔と何も変わらない、彼らの暮らしを取り囲む森である。

さまざまな生き物、一本の木、森、そして風さえも魂を持って存在し、人間を見すえている。いつか聞いたアサバスカンインディアンの神話。それは木々に囲まれた極北の森の中で、神話を超えて語りかけてくる。

私たちは一頭のムースを獲り、村に帰った。そして数日後、ポトラッチが始まった。ブラックベア、ビーバー、サーモン、ブルーベリー、クランベリーなどの木の実……この土地の、さまざまな自然の恵みが用意された。そしてムースの肉もまた、頭のスープとともに、今、目の前にある。

　低く抑揚のない老婆の声で、不意に歌が始まった。村人が大きな輪をつくり、内側に死者の家族と老婆がいる。単調な旋律は力強く、心の奥底にひびいてきた。家族は目を閉じ、歌にあわせてゆっくり踊り始めている。いつの間にか、村人たちの輪がまわり始めていた。

　人々は食べ、踊り、死者を語った。小屋の中は熱気に満ち、死者への悲しみは不思議な明るさへと昇華されてゆく。

　生きる者と死す者、有機物と無機物、その境は一体どこにあるのだろう。スープをすれば、極北の森に生きたムースの体は、僕の中にゆっくりとしみ込んでゆく。その時、僕はムースになる。そして、ムースは人になる。

　ポトラッチの踊りは、次第に興奮のるつぼと化してきた。小屋のまわりに息づく自然。そこにはすぐ森があり、それはどこまで続いているのだろうか。川はどうだろう。私たちがムースを求めて下った川は、今、夜の闇の中を流れ続けている。自然の恵みに生かされているという人々の思い。

　僕は、小屋の片隅に立ちつくし、村人の営みを取り囲む原野の広がりを思っていた。

エスキモーの村シシュマレフ　そこからすべて始まった

久しぶりに、シシュマレフ村にやって来た。ベーリング海に浮かぶ、懐かしい、小さなエスキモーの村。自分とアラスカとの出会いは、この村から始まったのだから。

もう十八年前になる。アラスカに憧れ、ある日手にした一冊の本。そこに載っていたエスキモーの村の写真に魅かれ、宛名もなく手紙を出したのがシシュマレフ村だった。そして半年後、思いもよらず返事をくれたウェイオワナ家。その家族とひと夏を過ごした初めてのアラスカ……あの頃、自分はまだ二〇歳だった。

「アルスィ、昔とちっとも変わらないじゃないか」

「何を言っている！　もうこんなに白髪がはえてしまったよ」

昔、僕のことをエスキモーボーイと呼んでいた、ウェイオワナ家の大好きなおばあさん、アルスィ。

十八年前、この村を去る時、アルスィはアザラシやクズリの毛皮で作ったエスキモーパーカーを僕にくれた。それは、自分にとって本当の宝物になった。匂いを嗅げば、いつでもあの懐かしい夏と、アルスィを想い出すことができた。

その後再びアラスカに戻ってからも、冬の旅は、いつもこのパーカーが一緒だった。アザラシやクズリの暖かさと、アルスィの暖かさがあった。

しかし、十二年の旅で、すっかりこのパーカーはほころびていた。僕はどうしてもアルスィに修繕してほしく、シシュマレフ村に持ってきていたのだった。

「アルスィ、これ直るかな？」

しばらくパーカーのあちこちを触った後、アルスィは眼鏡をずらしながら言った。

「これはもうだめだよ。皮がすっかり古くなっている。新しいのを作らなければ……」

おじいさんのアレックスが、そばで微笑んでいた。

波がうち寄せる浜に出た。あの夏、毎日夕暮れになると、三歳の孫娘ティナを連れて、この浜でベーリング海の波の音を聞いた。もう一度、ここに帰ってこれるとは、きっと思っていなかった。

そのティナは、今年でもう二〇歳、あの頃の自分の年になっている。あんなに小さかったのに、今はシシュマレフ村の学校で、子どもたちの給食を作りながら、働いていた。長い年月が流れていた。自分も、さまざまな旅をした。そして今、アルスィやティナの住むこの同じアラスカに根を下ろそうとしている。人の出会いの不思議さを思った。

なぜなら、新しい一歩を踏みだそうとしている今、かつてアラスカの旅の一歩を踏みだしたこの村に、再び自分は戻ってきているのだった。

十二月、アルスィの作ってくれる新しいパーカーが、フェアバンクスに届くことになっている。

編集後記

一、本書は、星野道夫氏の遺稿集として編集されたものである。したがって、一九九九年三月現在で判明している、既発表で単行本未収録の文章を可能なかぎり収録することを編集の方針とした。
一、星野氏の既刊のエッセイ集もしくは写真・文集に収録されている文章と内容・文体において重複する文章であっても、遺稿集という意図にそって本書に収録した。
一、ただし、本書に収録する対象とした文章のなかで、二つのエッセイで同一の文章が部分的に用いられていることがあった。それが十行前後におよぶ場合は、比較検討の上、どちらか一つを採り、一つを収録しなかった。そのようなケースで本書に収録しなかった文章は十を数える。
一、本書所収の「アラスカの呼び声」中の、「アラスカに一人で飛んできた女性、シリア・ハンター」という小見出しの一節は、本書所収の「約束の川」と同文部分が多かったので、その一節のみを削除した。
一、(I)のエッセイ中、「ザトウクジラを追って」「カリブーフェンス」「新しい人々」の三編は、単行本『旅をする木』からこぼれたものを収録し、発表順に並べた。
一、(II)のエッセイ中の6、7、10の三編は、著作権継承者の承諾を得て、本書に収録するにあたって改題した。

一、本書の(II)および(III)の文章は、雑誌・新聞掲載時に星野氏自身の写真が同時に掲載された。本書もそれにならうかたちをとったが、本書の写真は雑誌・新聞掲載のものと必ずしも同一のものではない。

一、表記は原則として初出時のものを尊重したが、数字、固有名詞などは、星野氏の既刊の本での表記法を参考にし、一定の統一をはかった。

（文藝春秋出版局）

単行本　一九九九年五月　文藝春秋刊

文春文庫

長《なが》い旅《たび》の途《と》上《じょう》

定価はカバーに表示してあります

2002年5月10日　第1刷
2025年8月25日　第24刷

著　者　星《ほし》野《の》道《みち》夫《お》
発行者　大沼貴之
発行所　株式会社 文藝春秋

東京都千代田区紀尾井町 3-23　〒102-8008
TEL 03・3265・1211(代)
文藝春秋ホームページ　https://www.bunshun.co.jp

落丁、乱丁本は、お手数ですが小社製作部宛お送り下さい。送料小社負担でお取替致します。

印刷・TOPPANクロレ　製本・加藤製本　Printed in Japan
ISBN978-4-16-751503-4

（　）内は解説者。品切の節はご容赦下さい。

林　真理子
不機嫌な果実
三十二歳の水越麻也子は、自分を顧みない夫に対する密かな復讐として、元恋人や歳下の音楽評論家と不倫を重ねるが……。男女の愛情の虚実を醒めた視点で痛烈に描いた、傑作恋愛小説。
は-3-20

伊集院　静
羊の目
男の名はサイレントマン。神に祈りを捧げる殺人者——。戦後の闇社会を震撼させたヤクザの、哀しくも一途な生涯を描き、なお清々しい余韻を残す長篇大河小説。（西木正明）
い-26-15

小川洋子
猫を抱いて象と泳ぐ
伝説のチェスプレーヤー、リトル・アリョーヒン。彼はいつしか「盤下の詩人」として奇跡のように美しい棋譜を生み出す。静謐にして愛おしい、宝物のような傑作長篇小説。（山﨑　努）
お-17-3

角田光代
対岸の彼女
女社長の葵と、専業主婦の小夜子。二人の出会いと友情は、些細なことから亀裂が入るが……。孤独から希望へ、感動の傑作長篇。ロングセラーとして愛され続ける直木賞受賞作。（森　絵都）
か-32-5

森　絵都
カラフル
生前の罪により僕の魂は輪廻サイクルから外されたが、天使業界の抽選に当たり再挑戦のチャンスを得る。それは自殺を図った少年の体へのホームステイから始まって……。（阿川佐和子）
も-20-1

有吉佐和子
青い壺
無名の陶芸家が生んだ青磁の壺が売られ贈られ盗まれ、十余年後に作者と再会した時——。壺が映し出した人間の有為転変を鮮やかに描き出した有吉文学の名作、復刊！（平松洋子）
あ-3-5

太宰　治
斜陽《しやよう》 人間失格《にんげんしつかく》 桜桃《おうとう》 走《はし》れメロス 外七篇
没落貴族の哀歓を描く「斜陽」、太宰文学の総決算「人間失格」、美しい友情の物語「走れメロス」など、日本が生んだ天才作家の代表作が一冊になった。詳しい傍注と年譜付き。（臼井吉見）
た-47-1

（　）内は解説者。品切の節はご容赦下さい。

横山秀夫
クライマーズ・ハイ
日航機墜落事故が地元新聞社を襲った。衝立岩登攀を予定していた遊軍記者が全権デスクに任命される。組織、仕事、家族、人生の岐路に立たされた男の決断。渾身の感動傑作。（後藤正治）
よ-18-3

伊坂幸太郎
死神の精度
冴えない会社員、昔ながらのやくざ、恋をする青年……真面目でちょっとズレた死神・千葉が出会う、6つの人生を描いた短編集。著者の特別インタビューも収録。

い-70-3

奥田英朗
イン・ザ・プール
プール依存症、陰茎強直症、妄想癖など、様々な病気で悩む患者が病院を訪れるも、精神科医・伊良部の暴走治療ぶりに呆れるばかり。こいつは名医か、ヤブ医者か？　シリーズ第一作。

お-38-1

黒川博行
後妻業
結婚した老齢の相手との死別を繰り返す女・小夜子と、結婚相談所の柏木につきまとう黒い疑惑。高齢の資産家男性を狙う〝後妻業〟を描き、世間を震撼させた超問題作！（白幡光明）
く-9-13

恩田　陸
木洩れ日に泳ぐ魚
アパートの一室で語り合う男女。過去を懐かしむ二人の言葉に、意外な真実が混じり始める。初夏の風、大きな柱時計、あの男の背中。心理戦が冴える舞台型ミステリー。（鴻上尚史）
お-42-3

柚木麻子
ナイルパーチの女子会
商社で働く栄利子は、人気主婦ブロガーの翔子と出会い意気投合。だが同僚や両親との間に問題を抱える二人の関係は徐々に変化して――。山本周五郎賞受賞作。（重松　清）
ゆ-9-3

篠田節子
冬の光
四国遍路の帰路、冬の海に消えた父。家庭人として企業人として恵まれた人生ではなかったのか……足跡を辿る次女が見た最期の景色と人生の深遠が胸に迫る長編傑作。（八重樫克彦）
し-32-12